Wolfgang Meffert

Im Rhythmus man mit muss.

Moderne allgemeine Rhythmuslehre

mit praktischen Übungen für Gitarristen

AMB 3203

Vorwort

It Don't Mean a Thing (If It Ain't Got That Swing)

Duke Ellington will uns damit sagen, dass uns der Rhythmus eines Musikstücks »unter die Haut« gehen muss, wenn die Musik uns wirklich berühren soll. Ein Rhythmus, der uns mitzieht, sorgt für Bewegung. Wir fangen automatisch an, mit dem Fuß zu tappen oder uns sonst zum Rhythmus der Musik zu bewegen. Rhythmus ist so untrennbar mit Musik verbunden, dass einige westafrikanische Sprachen keine unterschiedlichen Worte für »Musik« und »Tanz« kennen. Ein Wort bedeutet beides.

Um als Musiker im »Groove« zu sein und einem lebendigem und mitreißendem Rhythmus Seele zu geben, muss man diesen auch selbst spüren. Es genügt nicht, möglichst exakt die Noten zu spielen.

Natürlich sollte man sich an die Noten halten, sonst spielt man ein anderes Stück. Der Rhythmus, den die Notenwerte vorgeben, wird aber »lebendig« gespielt. Das bedeutet, dass die Notenwerte nach Gefühl leicht nuanciert werden. Durch kleine, kaum bemerkbare Abstufungen bekommt der Rhythmus erst die Seele, die den Hörer mitreißt.

Man sagt gerne: Der Rhythmus muss aus dem Bauch kommen! Das ist absolut richtig! Allerdings muss er da auch zuerst hinein! Wie man einen Rhythmus »in den Bauch« bekommt und ganz allgemein ein super Rhythmusgefühl entwickelt, zeigt euch dieses Buch.

Ich wünsche euch viel Spaß dabei.
Wolfgang Meffert

Impressum:

Umschlagsdesign und Layout: *Selina Peterson*
Lektorat und Produktion: *Gerd Kratzat*

Titelbild: *123rf.com ı seventyfour74*
<a href='https://de.123rf.com/profile_seventyfour74'>seventyfour74</a>

Bestell-Nr. AMB 3203
ISBN 978-3-86947-623-0
ISMN 979-0-50247-203-0
www.acoustic-music-books.de

Inhalt

Teil 1
Allgmeine Rhythmuslehre

Teil 2
Rhythmus-Gitarre

Teil 3
Klassische Gitarre und Fingerstyle

Eine (nicht ganz unwichtige) Einleitung

Im Laufe der Evolution hat die Natur dem Menschen eine Reihe von körpereignen Ur-Rhythmen mitgegeben. Beim Laufen (Jogging) bewegen wir unsere Beine rhythmisch und unsere Arme schwingen rhythmisch mit. Unser Herz schlägt rhythmisch und wir atmen rhythmisch. Rhythmus ist also etwas sehr Körperliches und direkt mit Bewegungen verbunden. Außerdem ist unser Körper fähig, zu einem vorgegebenen Rhythmus mitzuschwingen. Zum Beispiel beim Tanzen oder auch wenn der Fuß im Rhythmus einer bestimmten Musik unwillkürlich mitgeht. Wir synchronisieren dabei unseren inneren Rhythmus mit einem vorgegeben, äußeren Rhythmus. Menschen, die mit den Polyrhythmen afrikanischer Musik oder mit den komplexen Off-Beat-Phrasierungen lateinamerikanischer Musik aufgewachsen sind, haben aufgrund dessen oft ein gutes Rhythmusgefühl und spielen einen Rhythmus »aus dem Bauch heraus«. In unserem Kulturkreis mangelt es aber in der Regel an dieser Prägung. Unser Neuromuskuläres System muss diesbezüglich erst trainiert werden. Ohne entsprechendes Training ist unser Rhythmus subjektiv. Wir glauben dann vielleicht, im Timing genau zu sein, obwohl wir »eiern« oder treiben (schneller werden), ohne es zu bemerken. Vielleicht geht es dem einen oder anderen von euch auch so, dass der Song alleine gut funktioniert, aber wenn man ihn zusammen mit einem Kumpel oder in der Band spielt, klappt es einfach nicht. Das liegt immer am unterschiedlichen Timing!

Fazit: **Rhythmus sollte aus dem Bauch kommen! ABER – da muss er zuerst hinein!**

Metrum und Takt

Metrum heißt so viel wie »Maß« oder »Maßstab«. Gemeint ist sowohl der zeitliche Abstand der Grundschläge als auch der Abstand der Betonungen.

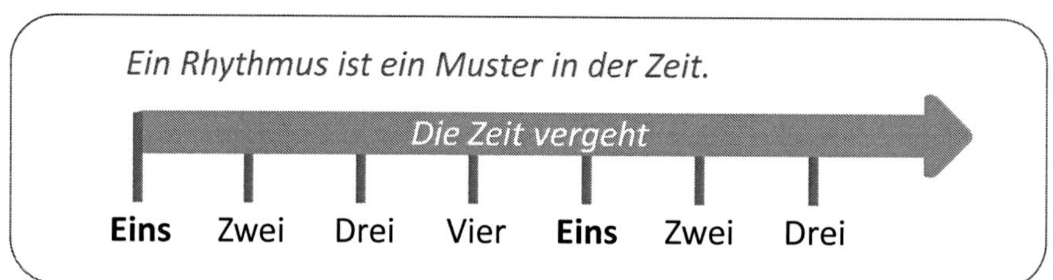

In der Musik haben wir eine fortwährende Folge von *Grundschlägen (Beats)* im gleichmäßigen Abstand. Das sind die Punkte, an denen häufig mitgeklatscht wird. Das Tempo, mit dem die Beats einander folgen, bestimmt auch das Tempo des Lieds. Aber noch haben wir keinen Takt! Der entsteht erst dadurch, dass die Folge der Beats in gleich große Päckchen unterteilt wird. Damit der Takt dann auch hörbar ist, muss der jeweils erste Beat eines Päckchens lauter erklingen als die anderen. Das heißt, er muss betont werden. Jedes dieser Päckchen bildet dann einen Takt mit der gleichen Anzahl an Grundschlägen. Meist sind es 3 oder 4. (Dreier- oder Vierertakt). Grundsätzlich ist aber jede Anzahl möglich. Durch diese gleichmäßige Folge von betonten und unbetonten Schlägen empfindet der Hörer einen Puls, der sich durch das ganze Stück zieht. Dieses Gefühl bleibt auch erhalten, wenn mal bei der »1« gar kein Ton erklingt. Man spricht daher allgemein von der *»schweren«* Zählzeit **Eins**.

Betonungen sind wichtige rhythmische Elemente.

Crashkurs Notenschrift

Grundvoraussetzung zum Erreichen eines guten Timings ist zunächst mal eine genaue Wahrnehmung von Metrum und Takt. Das klingt jetzt banal, aber das ist genau der Punkt, warum manch einer Probleme mit der Rhythmik hat.

Dazu müsst ihr zuerst lernen, einen Rhythmus zu »lesen«und ihn exakt wiederzugeben. Ihr braucht dazu Grundkenntnisse der Notenschrift. (Wer schon Noten lesen kann, darf den Crashkurs überspringen).

Zeitwert

Wie lange eine Note erklingt, wird nicht in absoluten Werten gemessen (z.B. 1,5 Sekunden), sondern im Verhältnis zu den anderen Tönen des Stücks. Um dieses Verhältnis zu bestimmen, hat man den Noten einen Zeitwert gegeben. Den Zeitwert kann man am Aussehen der Note erkennen.

Stellt euch nun bitte mal vor, ihr futtert eine Pizza. Wenn die größer ist, braucht ihr etwas länger, wenn sie kleiner ist, etwas weniger Zeit, bis sie aufgegessen ist. Aber egal wie groß die Pizza ist, es ist immer eine ganze Pizza. Für eine halbe Pizza braucht ihr auch nur halb so lange, um sie zu futtern. Für eine Viertel Pizza nur ein Viertel der Zeit, die ihr für eine ganze Pizza braucht. So ist das auch mit den Zeitwerten bei den Noten.

Notenwerte

Der größte Zeitwert einer Note ist die 1 oder besser ausgedrückt die Ganze Note.
Sie wird durch einen Kreis oder im Druck durch ein Oval dargestellt.

Als nächstes kommt die Halbe Note. Sie klingt genau halb so lange wie eine Ganze Note und wird als Oval mit einem Hals dargestellt. (Das ist der Strich an der Note. Er kann entweder nach oben oder nach unten zeigen.)

Nun kommt die Viertelnote. Sie klingt genau halb so lange wie die Halbe Note und genau ein Viertel so lange wie eine Ganze Note. Bei ihr ist der Kopf (das ist das Dicke am Ende des Halses) nicht hohl, sondern ausgefüllt.

Dann kommt die Achtelnote. Sie klingt genau halb so lange wie eine Viertelnote, also ein Achtel so lang wie eine Ganze Note. Sie erkennt man an dem Fähnchen am Hals.

Die Sechzehntelnote klingt wiederum genau halb so lang wie die Achtelnote.
Sie hat zwei Fähnchen.

Nach diesem Prinzip geht es dann weiter. Eine Zweiunddreißigstelnote hat drei Fähnchen, eine Vierundsechzigstelnote hat vier Fähnchen usw.

Wenn mehrere Fähnchennoten hintereinander vorkommen, werden sie meist mit einem *Balken* verbunden (ein Fähnchen = ein Balken, zwei Fähnchen = zwei Balken usw.). Das ist übersichtlicher, weil der Balken immer mit einem Grundschlag beginnt. Man sagt, die Noten sind *»verbalkt«.*

Steht ein Punkt hinter der Note, ist sie *»punktiert«*. Das bedeutet dann *»diese Note wird um ihre Hälfte verlängert«*. Eine punktierte Halbe Note klingt z.B. so lange wie drei Viertelnoten (eine Halbe plus eine Viertel) zusammen. Noten der gleichen Tonhöhe kann man auch mit einem *»Haltebogen«* verbinden. Dann werden die Zeitwerte der verbundenen Noten addiert, aber nur einmal angeschlagen. Sie klingen also in einem Ton.

Die Takte eines Musikstücks werden durch *Taktstriche* getrennt. Alle Noten innerhalb eines Taktes müssen zusammen genau dem Taktmaß entsprechen, also z.B. vier Viertel. Nur mit dem Haltebogen kann man eine Note über den Taktstrich hinaus verlängern.

Mit diesem System kann man jede beliebige Tondauer aufschreiben. Ob eine Note in den Notenlinien weiter oben oder weiter unten steht, ist für den Rhythmus völlig egal.

Für Perkussionsinstrumente gibt es extra Rhythmusnoten, die einen trapezförmigen Kopf haben.

Aber das nur zur Info, falls ihr mal darüber stolpert. Hier benutzen wir normale Noten.

Beispiele aus der Praxis:

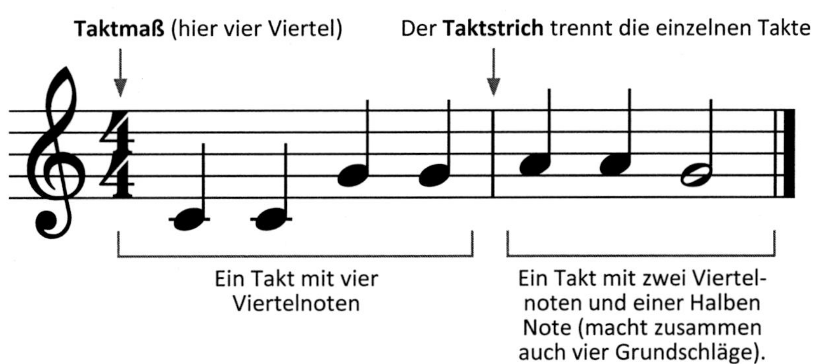

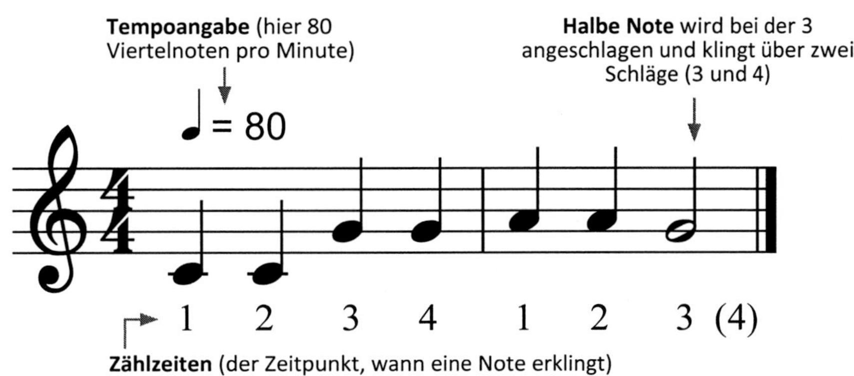

Manchmal findet man als Tempoangabe auch **BpM.** (Beats per Minute, -Grundschläge pro Minute) oder **MM** (Mälzels Metronom)[1]. Das bedeutet alles das Gleiche.

Wichtig! Wenn euch dieses Buch etwas bringen soll, benötigt ihr unbedingt ein Metronom. Ohne Metronom funktioniert es nicht!

Microtime und richtiges Auszählen

Wie bereits erwähnt, erfolgen die Beats in einem festen, zeitlichen Abstand, der das Tempo des Stückes festlegt. Die Beats geben der rhythmischen Struktur eines Taktes einen stabilen Rahmen. Noten, die *zwischen* den Beats liegen, werden entsprechend ihren Zeitwerten in ein kleineres rhythmisches Raster, der *Mikrostruktur*, angeordnet. Der kleinste auftretende Zeitwert bestimmt dabei die Ebene der Mikrostruktur. Ein einzelner Rasterpunkt innerhalb der Mikrostruktur wird als *Mikroimpuls* bezeichnet.

Achtel-Ebene:

Achtelnoten teilen den Puls der Viertelnoten jeweils in der Mitte. Das sind die *»Unds«* (+) zwischen den Beats. Wir zählen die Zeitpunkte **1** und 2 und 3 und 4 und.

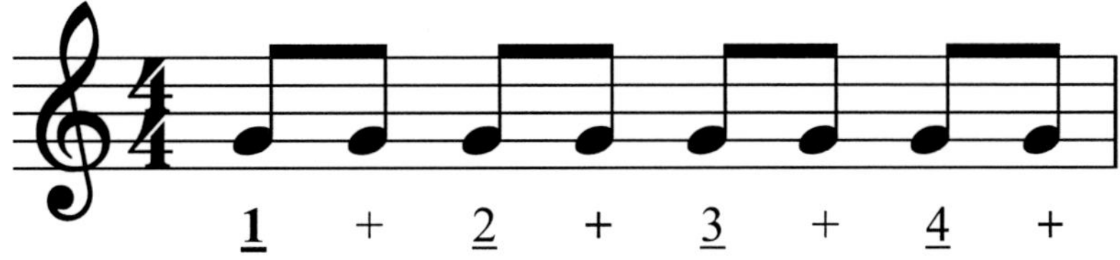

---

[1] Johann Nepomuk Mälzel ist der Erfinder des Metronoms. (Ein Metronom ist ein Gerät, dass gleichmäßig „Klack" macht. Das Tempo kann man einstellen und erhält so zeitlich genaue Grundschläge).

Sechzehntel-Ebene:
Sechszehntelnoten teilen eine Viertelnote in vier Mikroimpulse. Das bedeutet, wir haben auch Noten zwischen den *Unds* und den Beats. Diese werden meist mit einem *e* belegt.
Wir zählen die Zeitpunkte Ein-e-und-e-Zwei-e-und-e-Drei-e-und-e-Vier-e-und-e.

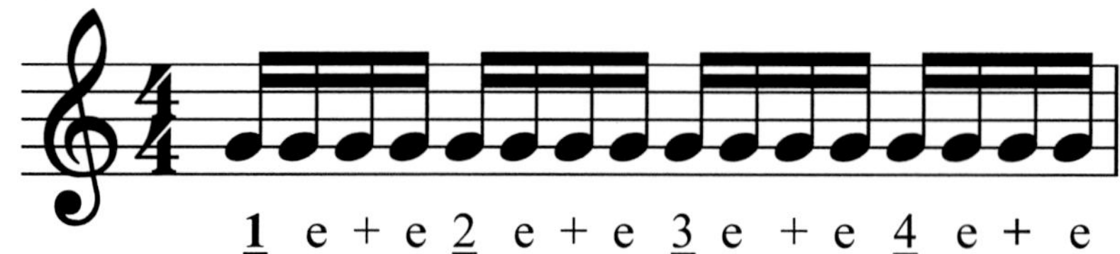

Die Beats haben einen Unterstrich, weil sie generell etwas mehr betont werden als die Mikroimpulse.
Die *»Eins«*, also die schwerste Zählzeit, ist zusätzlich fett gedruckt.

Sechs-Achtel-Takt
Im 6/8-Takt werden die Beats als Achtelnoten notiert. Dadurch verschieben sich die Ebenen. Die *»Unds«* sind dann Sechzehntelnoten (Beispiel) und die *»e´s«* Zweiunddreißigstelnoten. Außerdem wird im 6/8-Takt die Zählzeit »Vier« halbschwer betont. Schwächer als die »Eins«, aber stärker als die anderen Beats.

Beispiel:

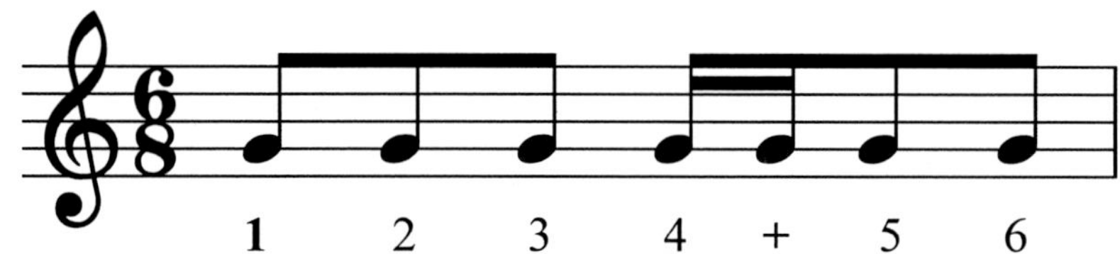

Einen Rhythmus auszuzählen ist nicht besonders schwierig. Die Herausforderung liegt darin, das auch in die Praxis umzusetzen. Dazu müssen wir in erster Linie unsere motorischen Fähigkeiten trainieren. Wir beginnen mit Klopf-bzw. Klatschübungen. Einen Rhythmus, den man nicht klopfen kann, kann man auch nicht auf einem Instrument spielen.

Übungen mit Grundschlägen (Beats)

Zählt fortwährend mit gleichmäßigem Tempo immer bis Vier. **Eins** – zwei – drei – vier – **eins** – zwei – drei – vier usw. Sprecht die Zahlen kurz und knapp aus, damit ihr einen möglichst genauen Zeitpunkt habt. Betont dabei die **»1«**! Achtet darauf, zwischen der »4« und der darauffolgenden **»1«** keine Pause zu machen! Klopft oder klatscht[1] beim Zählen mit. Betont auch beim Klopfen die »**1**« und wiederholt das Ganze ohne Pause wenigstens zwanzigmal.

Über der ersten Note seht ihr ein **Akzentzeichen** (>). Noten, die so gekennzeichnet sind, sollen hörbar lauter gespielt werden als die anderen. Normalerweise steht über der **»1«** kein Akzentzeichen, da sie sowieso betont wird.

Wichtig! Übt grundsätzlich nur mit Metronom!

Das Metronom gibt euch ein stabiles Raster der Gundschläge. Wenn nichts anderes angegeben ist, nehmt ein Tempo zwischen 60 und 80 BpM.

---

[1] Am einfachsten ist es, sich mit einer Hand auf den Schenkel zu klopfen, so, dass man es auch hört. Aber nicht so stark, dass ihr nach der Übung einen Bluterguss habt.

Übung 1a

Wiederholungszeichen
(Alle Übungen in diesem Buch sollen so oft ohne Pause wiederholt werden, bis sie problemlos laufen).

Anmerkung: Mit Wiederholungszeichen (Anfang = 𝄆 und Ende = 𝄇) markiert man in den Noten einen Abschnitt der wiederholt wird. Gibt es nur ein Ende aber kein Anfangszeichen, so beginnt man mit der Wiederholung am Anfang des Musikstückes.

Übung 1b

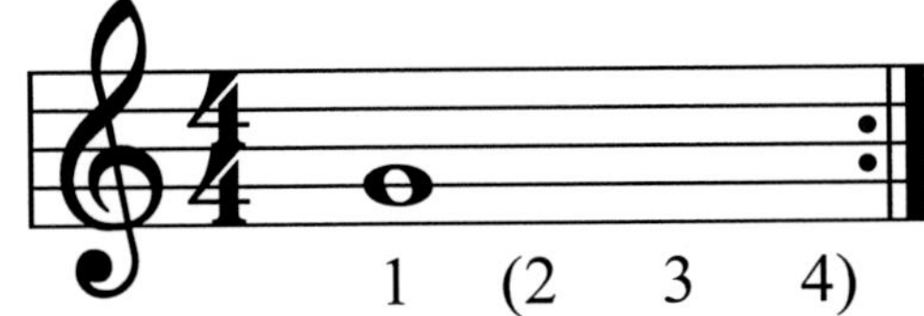

Zählt wieder mit gleichmäßigem Tempo immer bis Vier. Klopft aber nur bei der »1« (ganze Note). Die Zeiten Zwei, Drei und Vier stehen in der Klammer. (Zählzeiten in Klammern bedeuten in diesem Buch, dass ihre Zeit zwar mitzählt, sie aber nicht angeschlagen werden). Mehrmals ohne Pausen wiederholen.

Übung 1c

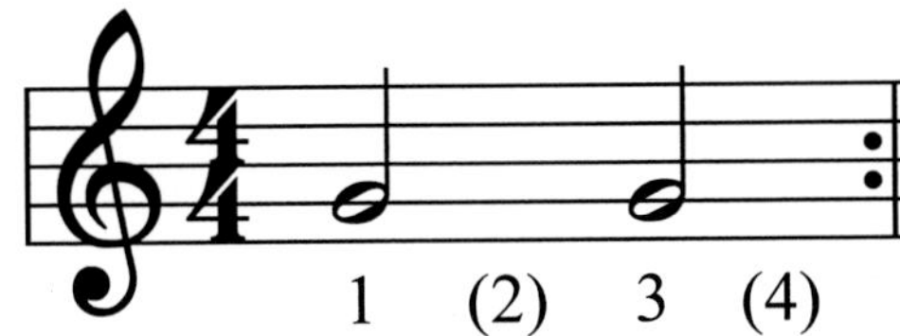

(Bei »Eins« und »Drei« klopfen.)

Für die folgenden Bausteine gilt: Sobald ihr glaubt, den Rhythmus verinnerlicht zu haben, hört auf zu zählen und klopft den Rhythmus aus dem Gefühl weiter. Wenn das nicht reibungslos funktioniert, dann zählt erneut!

Übung 1d

(Bei »Eins« und »Vier« klopfen.)

Übung 1e

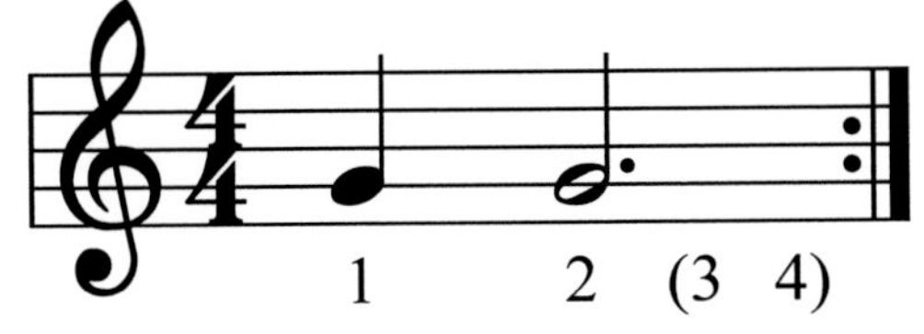

(Bei »Eins« und »Zwei« klopfen.)

Tragt bei den folgenden Bausteinen die Zählzeiten selbst ein. Setzt die Zeiten, die nicht angeschlagen werden in Klammern.

Übung 1f

Achtung: Vergesst nicht, die Eins zu betonen. Ansonsten wird der rhythmische Charakter verfälscht. Die Übungen 1f – 1h klingen dann nach einigen Wiederholungen gleich.

Übung 1g

Übung 1h

Klopfübung 2 3/4-Bausteine

Ein 3er-Takt enthält drei Beats, zählt also bis drei. Achtet darauf, zwischen der »Drei« und der darauffolgenden »Eins« keine Pause zu machen! Tragt die fehlenden Zählzeiten wieder selbst ein.

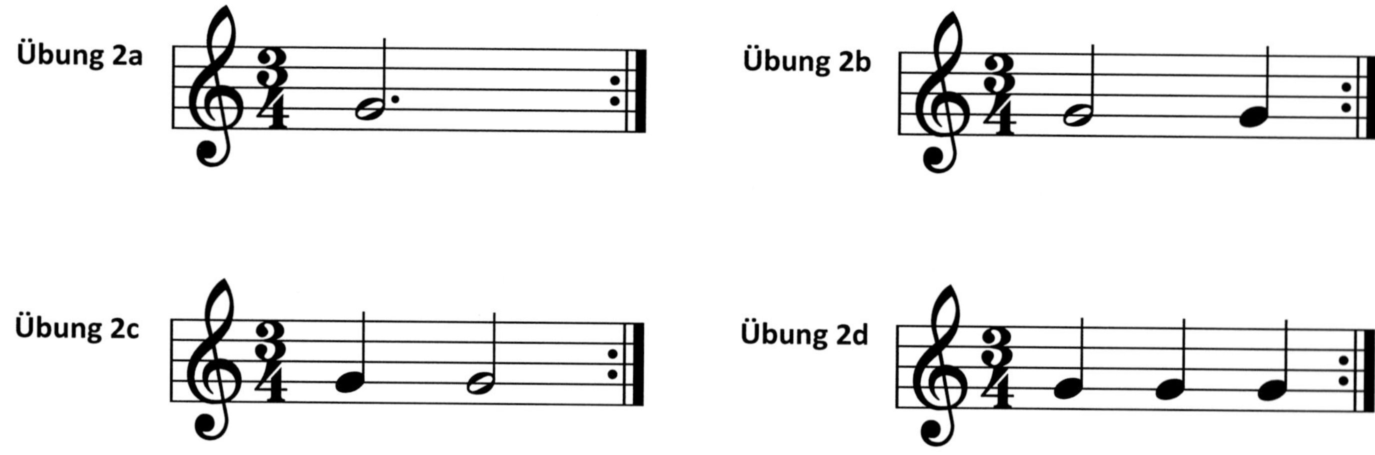

Klopfübung 3 6/8-Bausteine

Ein 6/8-Takt enthält sechs Beats, die als Achtelnoten aufgeschrieben werden. Zählt also bis sechs. Versucht ohne extra notierte Zählzeiten auszukommen. Vergesst nicht, dass im 6/8-Takt die »4« auch leicht betont wird. Das heißt, weniger als die **»1«**, aber stärker als die anderen Grundschläge. Der 6/8-Takt klingt dadurch lockerer und leichter als ein 3/4-Takt.

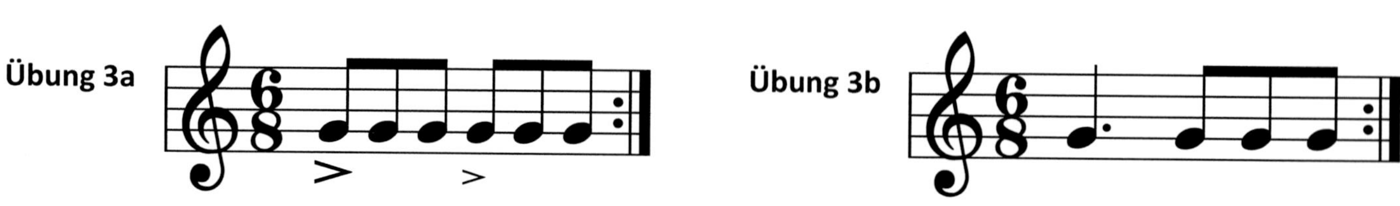

Übung 3c

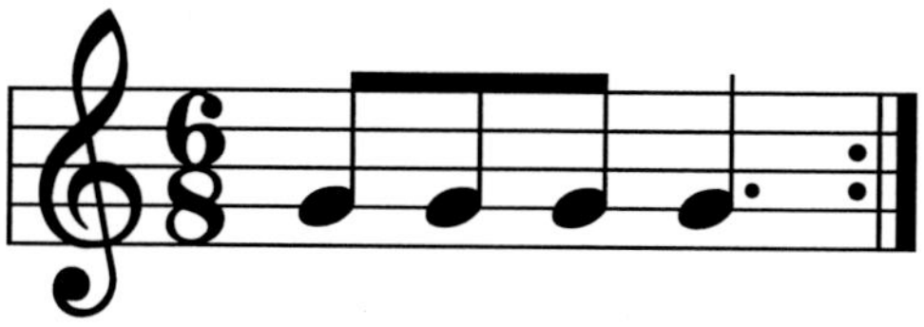

Übung 3d

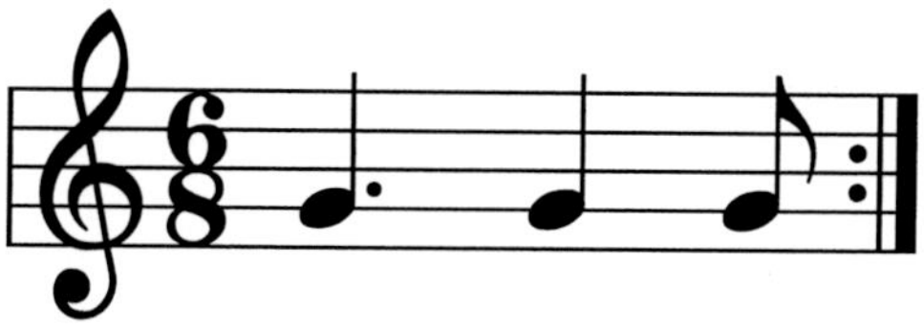

Übung 3e

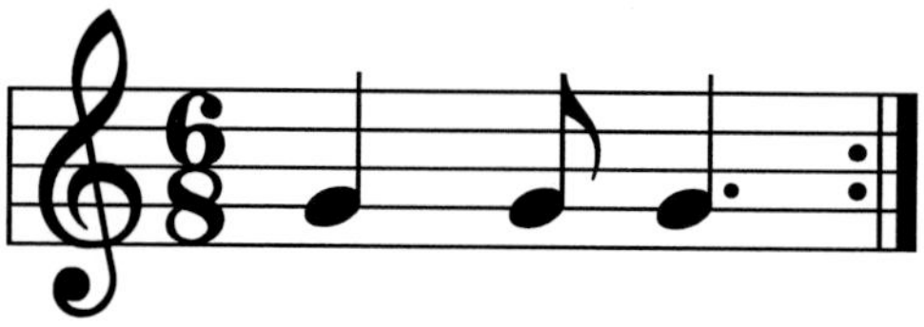

Übung 3f

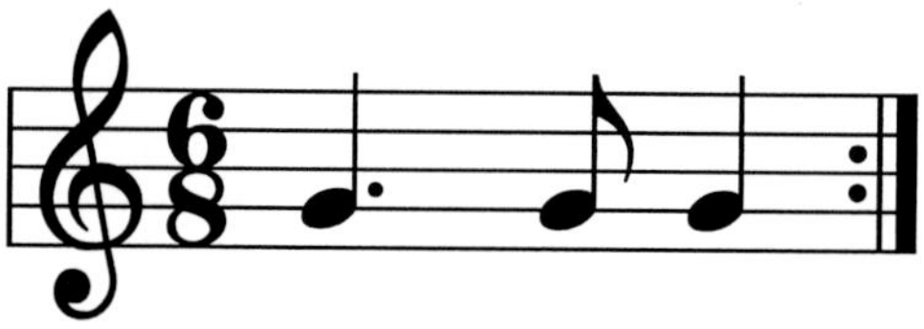

Übung 3g

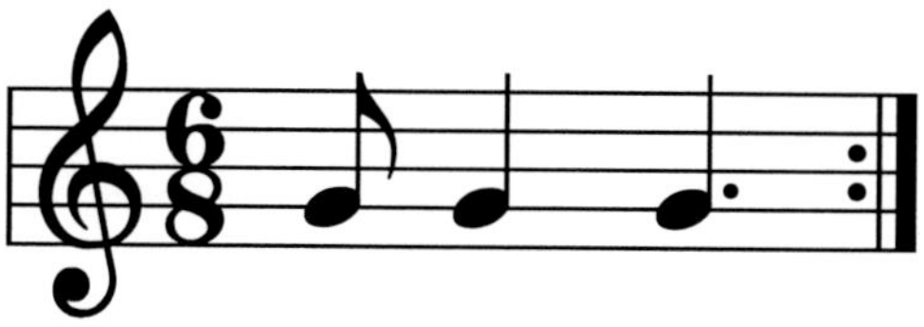

Übung 3h

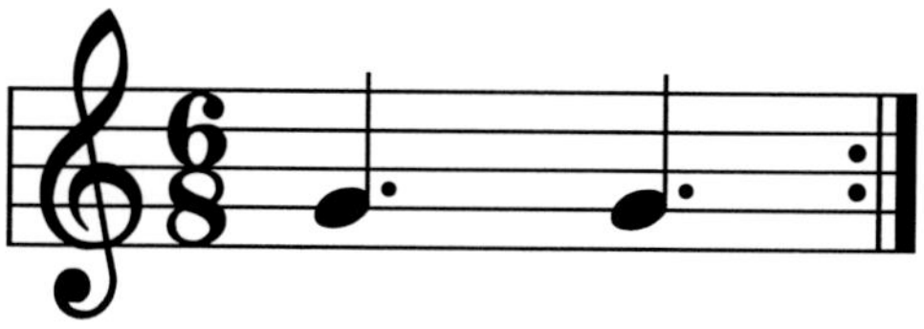

Übung 3i

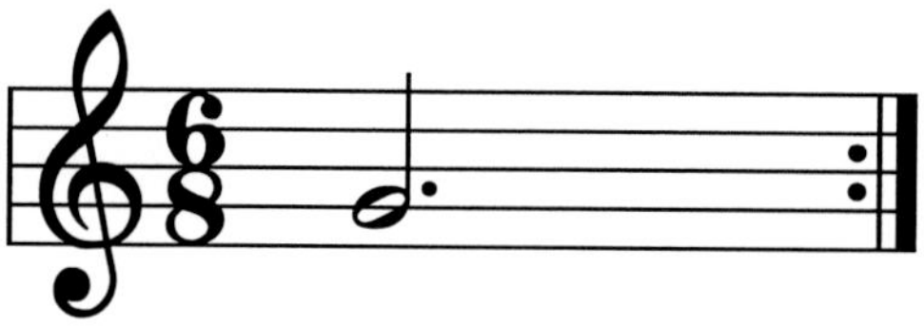

Andere Taktarten

Für alle Taktarten gilt das gleiche Prinzip: Im Zähler (also oben) steht, wie viele Grundschläge der Takt umfasst und im Nenner (also unten) steht, mit welchen Noten die Grundschläge aufgeschrieben sind. Also z.B. Viertel-, oder Achtelnoten. Ein Takt kann beliebig viele Grundschläge umfassen. Als Zeitwert der Noten kommen heutzutage nur Halbe-, Viertel, oder Achtelnoten in Frage.

Beispiele:

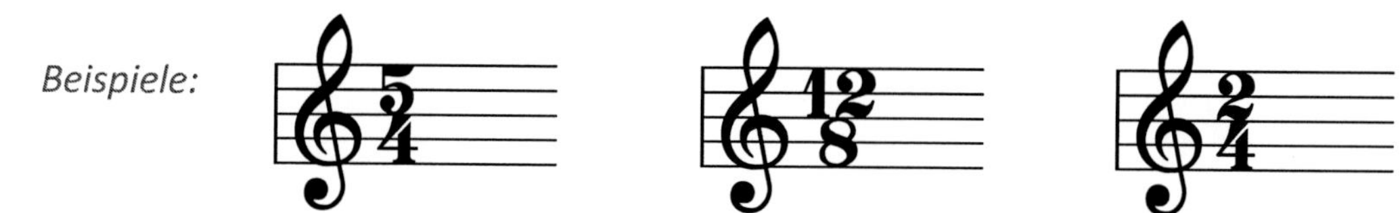

Gelegentlich stößt man auch auf alte Taktbezeichnungen:

bedeutet

bedeutet

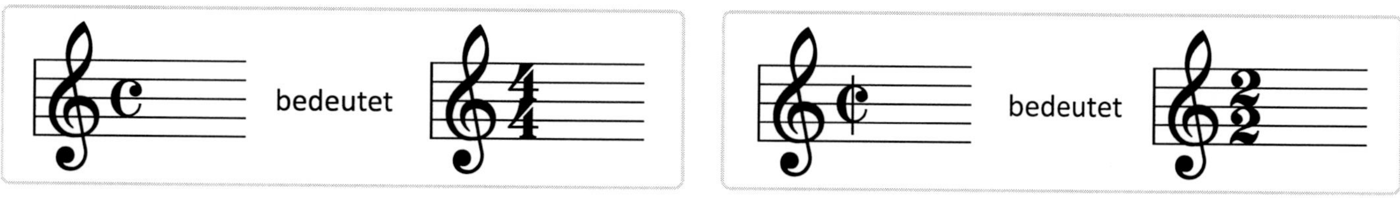

In alten Liedern, Kammer- und Kirchenmusik findet man auch die Bezeichnung »Alla Breve«. Gemeint ist damit ein ernster, getragener Vortrag, normalerweise in einem 2/2-Takt, in dem keine kürzeren Noten als Viertelnoten vorkommen sollen, um den ernsten Ausdruck zu wahren.

Ebene Achtelnoten

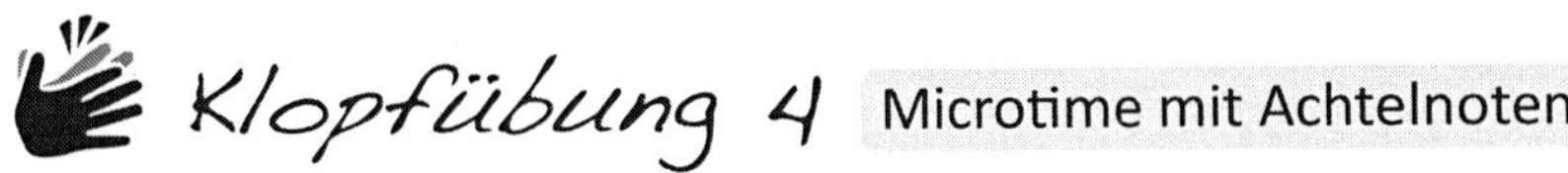

Zwischen den Grundschlägen

Zählzeiten, die in der Mitte zwischen zwei Grundschlägen liegen, heißen »und« (+).
Diese »Unds« brauchen wir, sobald in einem 4/4-Takt Achtelnoten erscheinen.

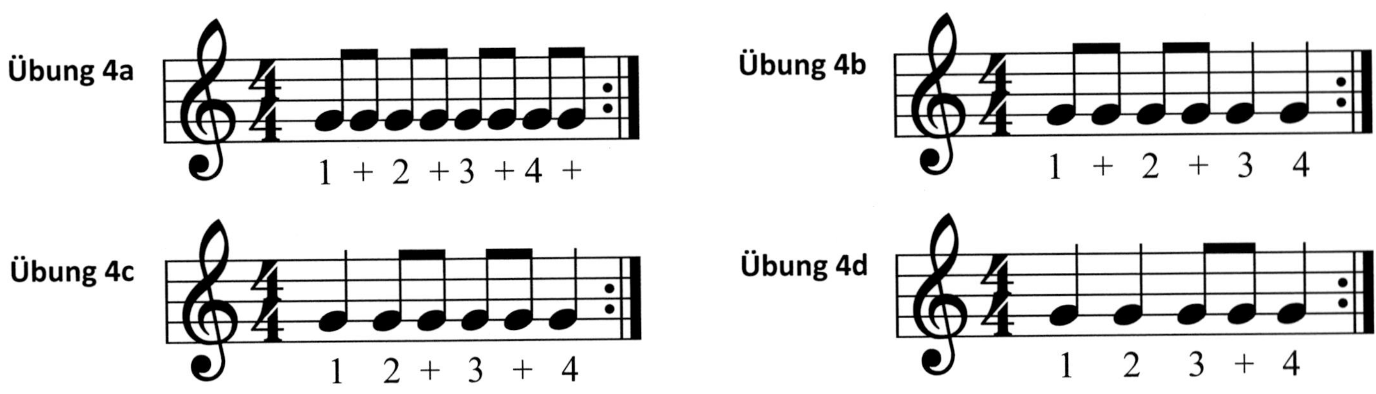

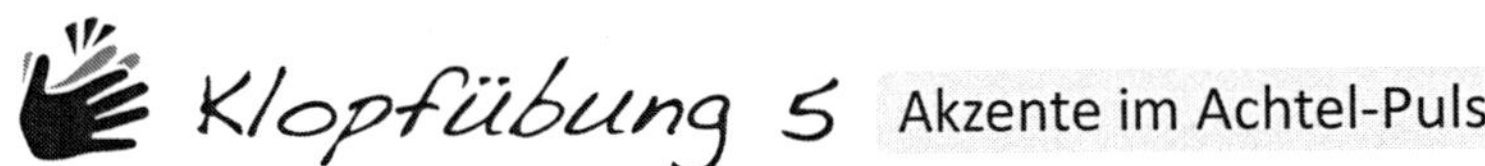

In moderner Pop- und Rock-Musik erklingt häufig ein durchgehender Achtel-Puls. In diesem gleichförmigen Gefüge bilden Akzente den Rhythmus. Das bedeutet wir schlagen in diesem Achtel-Raster einzelne Noten deutlich lauter an als die anderen.

Schlagt bei den folgenden Übungen alle Achtelnoten *ohne Akzent* sanft an. Am besten so, dass man die Schläge kaum hört. Bei den Noten *mit Akzent* schlagt kräftig und deutlich hörbar.

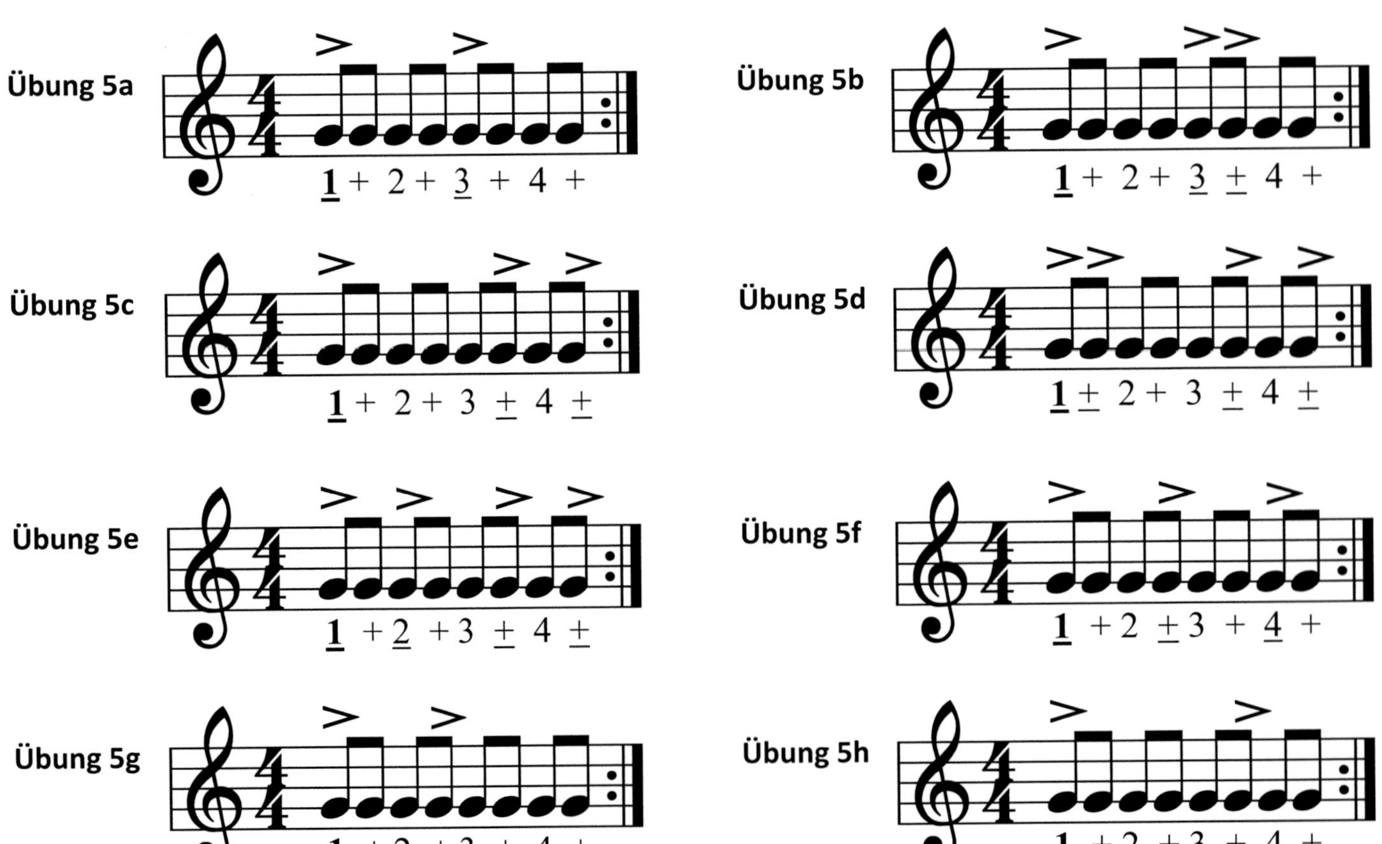

Fangt nun wieder bei Übung 5a an. Versucht jetzt, die Noten ohne Akzent immer leiser werden zu lassen, bis die Hand den Schlag nur noch antäuscht. Ihr klopft nun nur die Noten mit Akzent. Die Hand bewegt sich aber gleichmäßig weiter.

Es ist sehr wichtig, diese gleichmäßige Bewegung beizubehalten. Sie gibt dem Rhythmus Stabilität und ist der erste Schritt hin zu einem guten Rhythmusgefühl.

Synkopen

Man unterscheidet zwischen schweren und leichten Zählzeiten. Alle Grundschläge gelten als schwer. Anschläge zwischen den Beats (die so genannten Off-Beats) gelten als leicht. Schwere Zählzeiten werden grundsätzlich etwas stärker betont als die leichten. Sie haben sozusagen ein wenig mehr »Rumms«.

Wenn man nun einen Beat auf eine leichte Zählzeit schiebt, spricht man von einer *»Synkope«*. Um eine Synkope aufschreiben zu können, benötigt man meist einen Haltebogen.
Ein Haltebogen verbindet zwei Noten der *gleichen* Tonhöhe, so dass diese wie ein einziger Ton klingen. Der auf eine leichte Zählzeit geschobene Beat behält dabei seine Betonung! Der Off-Beat wird nun schwer!

Beispiele:

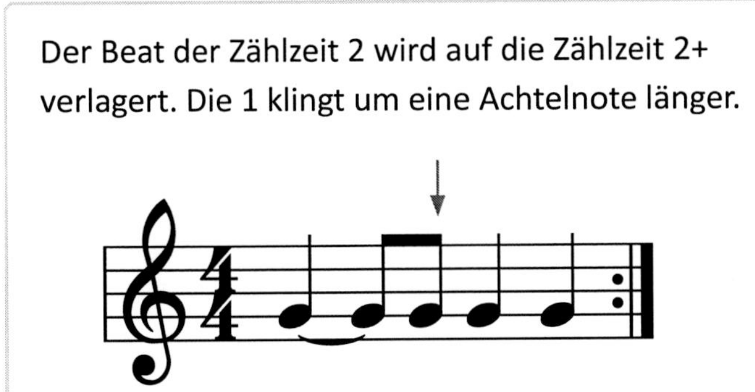

Der Beat der Zählzeit 2 wird auf die Zählzeit 2+ verlagert. Die 1 klingt um eine Achtelnote länger.

Der Beat der Zählzeit 4 wird auf die Zählzeit 3+ vorgezogen. Die die 3+ klingt nun so lange wie eine Achtelnote plus eine Viertelnote.

Klopfübung 6 Synkopen

Die Übungen 6a und b sind Takte mit je einem Grundschlag (auf der Eins) und einer Synkope.

Klopft die Übungen ohne Metronom und mit eurem eigenen Tempo! Macht jede Übung in einer Endlosschleife. Zählt zunächst mit, hört aber auf zu zählen, sobald ihr glaubt den Rhythmus »aufgenommen« bzw. abgespeichert zu haben. Das ist bei nur zwei Schlägen pro Takt nicht einfach, weil man kein Raster hört, an dem man sich orientieren kann. Versucht Übung 6a und 6b, aber ärgert euch nicht, wenn´s nicht gleich klappt.

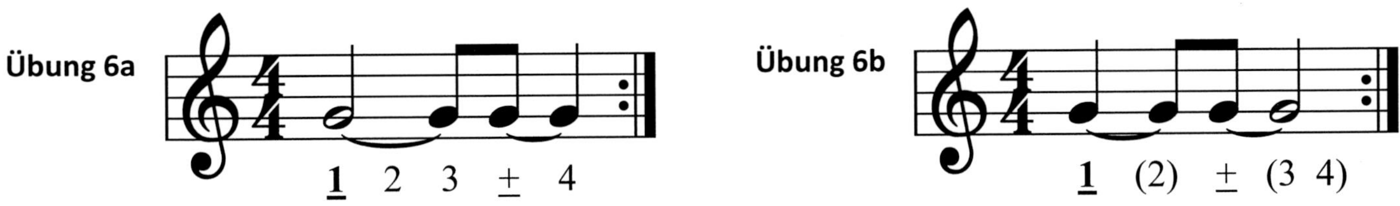

Eine Sonderform der Synkope ist die Antizipation[1]. Einfacher ausgedrückt: Die vorgezogene »1«. Das bedeutet, der schwere Grundschlag »1« erklingt am Ende (meist auf der »4+«) des vorigen Taktes.

Eine Antizipation finden wir z.B. in den zweitaktigen Rhythmen lateinamerikanischer Musik.

Übung 6c

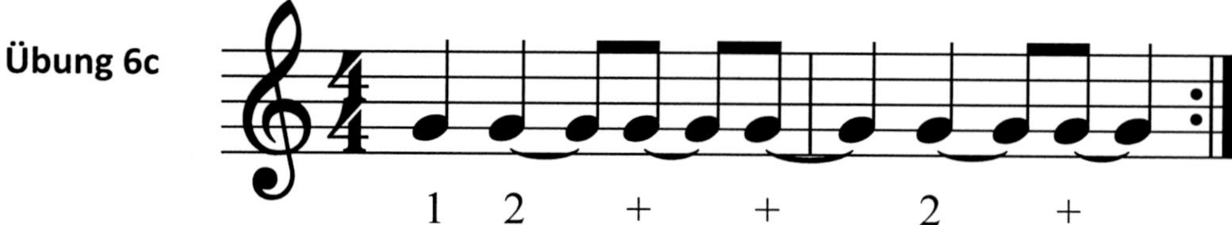

Timing

Vielen fällt es schwer, die *»Unds«* in einer Achtelstruktur sicher zu platzieren. Vor allem, wenn sie, wie in Übung 6a und 6b, relativ alleine stehen. Gute Rhythmiker haben ein stabiles Achtel-Raster im Gefühl und können daher auch Off-Beats genau und sicher schlagen. Das Gefühl für so ein Achtel-Raster solltet ihr euch antrainieren.

Setzt euch dazu entspannt, aber aufrecht hin. Last euer Metronom ein Tempo zwischen 60 und 70 BpM. schlagen. Zählt die Schläge mit: 1, 2, 3, 4, 1, 2, 3, 4, usw. Sprecht die Zahlen sehr kurz aus, damit ihr klar definierte Zeitpunkte bekommt. Achtet darauf, dass diese Zeitpunkte exakt mit den Schlägen des Metronoms zusammenfallen! Sobald ihr das beherrscht, schlagt euch mit der rechten Hand dazu auf den Schenkel. Achtet darauf, dass das Schlaggeräusch der Hand exakt mit der Stimme und den Schlägen des Metronoms zusammenfällt. Haltet das einige Takte lang durch. Dann aufhören, kurz durchschnaufen, konzentrieren und wieder von vorn. Wiederholt das, bis ihr auf Anhieb sicher mit Sprache und Hand genau auf den Klicks des Metronoms liegt.

Sobald ihr das könnt, zählt die *»Unds«* (genau so knapp) mit und schlagt zu den *»Unds«* mit der linken Hand auf den Schenkel.
Nun schlagt ihr mit der rechten Hand die Beats und mit der linken Hand die *»Unds«*. Achtet weiter darauf, exakt mit dem Metronom zu sein.

Visualisierung

Bildliche Vorstellung hilft euch, ein Gefühl für das rhythmische Raster zu bekommen. Stellt euch einen Spielplatz mit einer Wippe vor. Auf dieser Wippe sitzen zwei Kinder die synchron zu euren Händen auf und ab wippen. Wenn eure rechte Hand schlägt, ist das rechte Kind unten und das linke Kind oben. Wenn eure linke Hand schlägt, ist das linke Kind unten und das rechte Kind oben. Je deutlicher ihr das vor eurem inneren Auge seht, umso schneller bekommt ihr eine Achtel-Struktur ins Gefühl.

Bewegung und Gegenbewegung

Sobald ihr glaubt, dass ihr soweit seid, zieht die rechte Hand nicht mehr durch. Das heißt, ihr schlagt mit der Hand weiter in die Luft, aber täuscht den Schlag aufs Bein nur noch an. Wichtig ist, die Bewegung des Schlags beizubehalten! Geht auch im Puls der Achtelstruktur körperlich mit, indem ihr leicht wippt. Zählt weiter, das Metronom schlägt weiter die Beats und die linke Hand schlägt die *»Unds«* genau zwischen den Beats. »Klick, und, klick, und, klick, und, klick, und ...« Empfindet die Grundschläge und deren Gegenbewegung.

Bewegt euch! Rhythmus ist Bewegung! Wer beim Musizieren da sitzt als würde er auf den Bus warten, entwickelt nie ein gutes Timing!

Nachdem ihr das trainiert habt, solltet ihr in der Lage sein, euer Metronom einzuschalten, euch kurz zu konzentrieren und dann *auf Anhieb!* die *»Unds«* zwischen den Klicks zu schlagen. Auch sollten euch dann die Übungen 6a, 6b und 6c deutlich leichter fallen als vorher.

---

[1] Von lateinisch *anticipare* = vorwegnehmen

Ebene Sechzehntelnoten

Sechzehntelnoten teilen einen Grundschlag in *vier* Mikroimpulse. Beim Auszählen der Sechszehntel wird meist ein *»e«* zwischen Grundschlag und *»Und«* gesetzt.
Gesprochen: »Ein-e-und-e-Zwei-e-und-e-Drei-e-und-e-Vier-e-und-e«

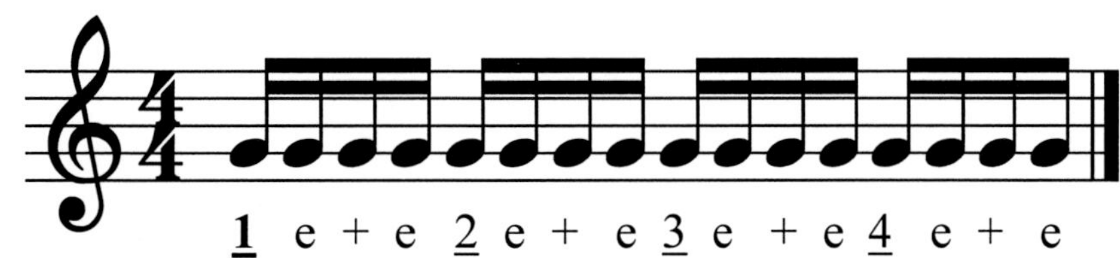

Aus der Praxis:

Übung 7c ist der charakeristische Rhythmus von *Foggy Dew (Irish Traditional).*

Übung 7d – Bo Diddley Beat[1] (Basic)

Übung 7e – Bo Diddley Beat (advanced)

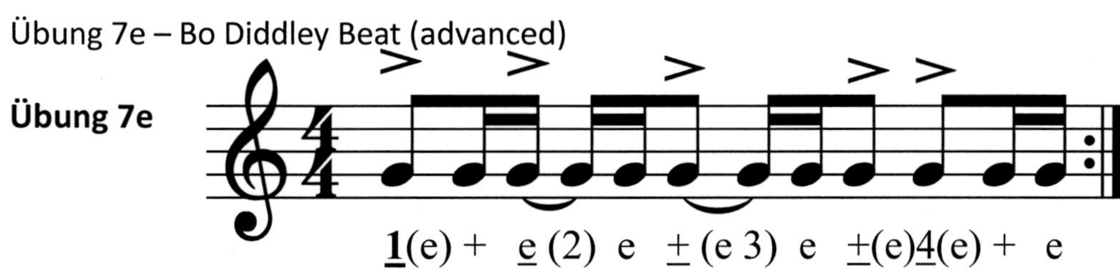

[1] Bo Diddley war ein US-Amerikanischer Rock´n Roll Pionier. In seinen Stücken ist ein bestimmter Rhythmus vorherrschend, der als »Bo Diddley Beat« bezeichnet wird.

Der Bo Diddley Beat ist für die meisten eine echte Herausforderung, die lange geübt werden will. Bevor ihr daran verzweifelt, hilft euch folgender Trick: Lasst euer Metronom Sechszehntel schlagen! Stellt ein Tempo ein, mit dem ihr gut mitzählen könnt. Das Metronom schlägt durchgehend alle 16tel-Impulse. Zählt mit und klopft dann nur die Schläge, die *nicht* in Klammern stehen. Sobald das einige Male reibungslos funktioniert, stellt das Metronom etwa 10% schneller. Sobald das auch funktioniert, wieder 10% schneller usw. Hört dann auch auf zu zählen und versucht den Rhythmus sozusagen auswendig zu klopfen. Nickt auch mit dem Kopf mit!

Je mehr Körperanteil im Rhythmus ist, umso schneller bekommt ihr ihn »in den Bauch«.

Proportionierte Notation

Für eine schnelle rhythmische Orientierung ist eine *proportionierte Notation* erforderlich. Gerade bei synkopischen Rhythmen und anderen komplexen Strukturen müssen die Grundschläge (mindestens aber die »3« – bei 6/8-Takten die »4«) im Notenbild optisch erkennbar sein.

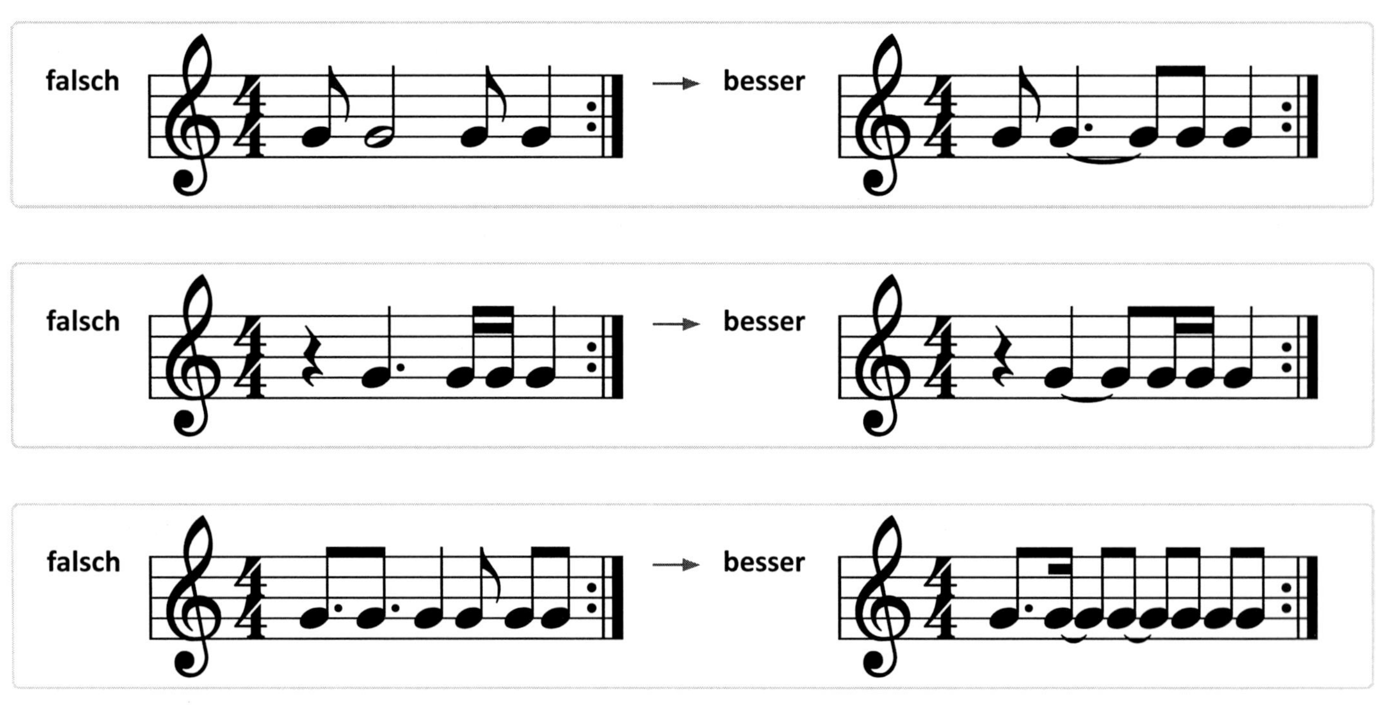

Pausen

Entscheidend für den Rhythmus ist der Zeitpunkt des Anschlags, also der Anfang eines Tones, unabhängig von der in den Noten angegebenen Tondauer. Das Stoppen eines Tones, z.B. beim Singen, ist zwar musikalisch von Bedeutung, für die Rhythmik aber zweitrangig.

Außerdem klingen Instrumente wie die Gitarre von Natur aus nach. Da schwingt eine angeschlagene Saite langsam aus und wird in der Regel nicht vorher abgestoppt. Daher findet man in Gitarrennoten Pausenzeichen meist nur bei mehrstimmigen[1] Notationen. Wenn zum Beispiel eine Stimme rechnerisch den Takt nicht voll macht. Die Regeln der proportionierten Notation gilt auch für Pausenzeichen.

[1] Häufig werden in Gitarrennoten Bass und Melodie als separate Stimmen, aber in dasselbe Notensystem geschrieben. (Wird in Teil 3 näher behandelt).

Für die Praxis mit eurem Instrument. Wenn ihr eine Gitarre benutzt, dämpft die G-Saite bei den Pausen mit der Greifhand ab. Wer die Pausenzeichen nicht mehr im Kopf hat, kann auf Seite 6 nachsehen.

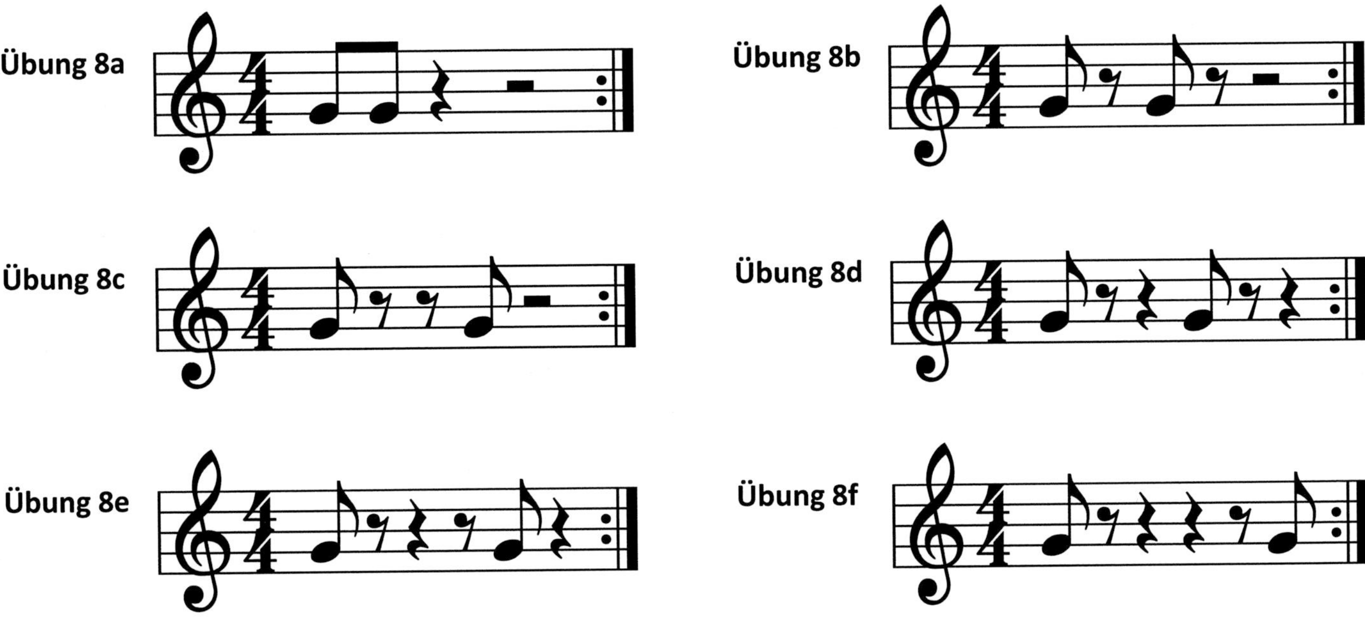

Ebene Achteltriolen

Binär versus ternär

Im Laufe der Evolution hat Mutter Natur uns zwei rhythmische Ursysteme mitgegeben. Unsere Beine beim Laufen bzw. Joggen bilden ein binäres (zweigeteiltes) System. Demzufolge unterteilen wir zum Beispiel eine Viertelnote in zwei gleich lange Achtelnoten und die wieder in zwei gleich lange Sechszehntelnoten.

Unser Herzschlag bildet ein ternäres System. Ein Pulsschlag setzt sich im Grunde aus zwei Schlägen zusammen: Einem kräftigen, das ist der Beat, dessen Tempo gemessen wird, und einem leiseren, schwächeren Schlag. Dieser leisere Schlag erfolgt nicht in der Mitte der Beats sondern etwa im 2/3 – 1/3 Verhältnis. Damit erhalten wir ein ternäres (dreigeteiltes) System. Man spricht dann von *Triolen*. Ganz ungezwungen kann man auch sagen: Triolen sind drei Schläge an Stelle von zwei.

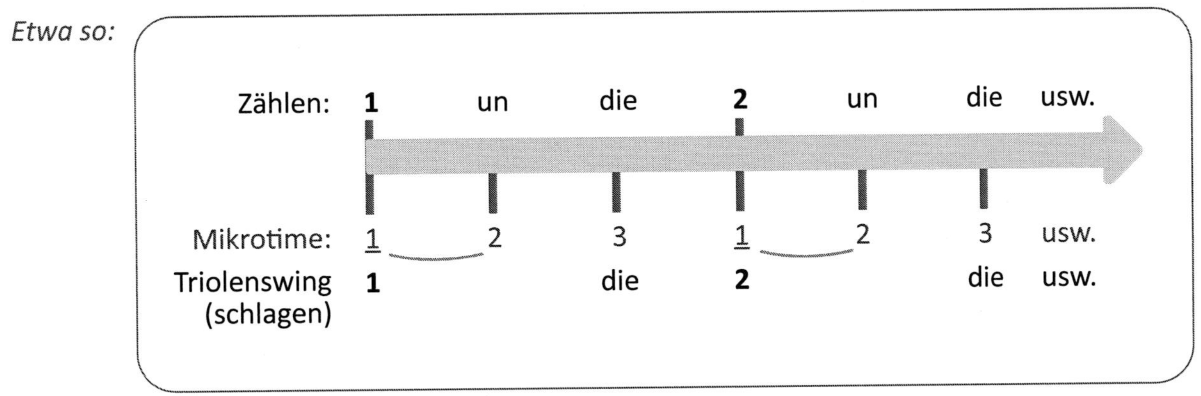

Im Notensystem werden Triolen mit einem Balken oder einer Klammer zusammengefasst und mit einer 3 gekennzeichnet.

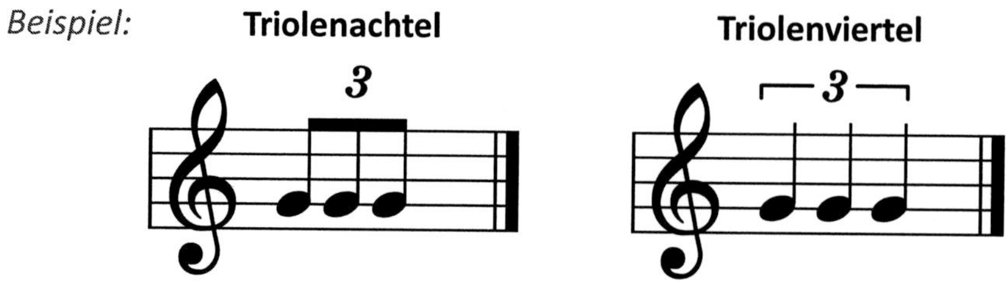

Eine gängige Methode, eine Triolenachtel auszuzählen, ist: »**1** un die **2** un die **3** un die **4** un die«

Triolenswing

Setzt man den mittleren Schlag (das *»un«*) der Triole aus, so, dass nur der Beat und das jeweilige *»die«* angeschlagen wird, erhält man einen wiegenden Rhythmus. Diesen nennt man *»Triolenswing«*.

Übung 9a

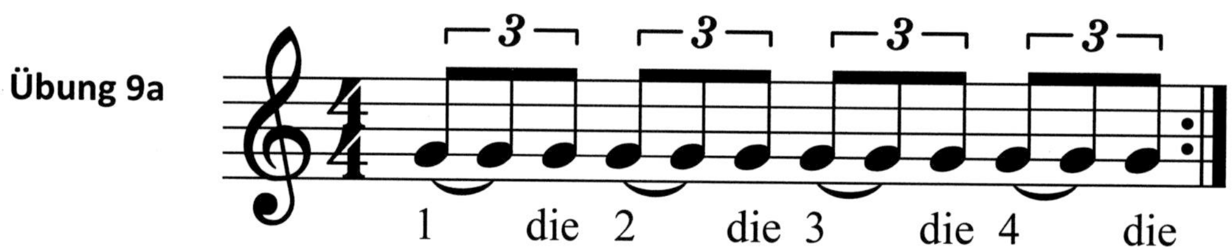

Der zweite Mikroimpuls kann natürlich auch eine Pause sein. Der Triolenswing klingt dann etwas härter und direkter als mit dem gebundenen *»un«*.

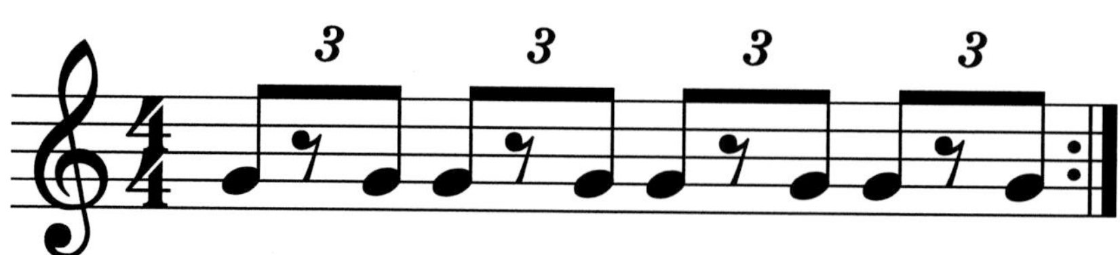

In manchen Musikrichtungen wie z.B. Blues oder Jazz werden häufig ganze Musikstücke triolisch gespielt. Man spricht dann vom *Triolenfeeling*. Wenn man so ein Musikstück aufschreibt, ist es natürlich aufwändig, jedes einzelne *»un«* gebunden oder als Pausenzeichen zu schreiben. Gängig ist daher auch diese Schreibweise:

Oder man macht es sich ganz einfach und schreibt ganz normale Achtelnoten und gibt dann am Anfang der Noten eine Spielanweisung dazu.

Häufig findet man dieses Vortragszeichen:

Es bedeutet, dass das Stück der Einfachheit halber mit normalen Achtelnoten notiert ist, man diese aber im Triolenswing spielen soll. Das sieht dann etwa so aus.

Manchmal steht am Anfang der Notation auch einfach »Swing-feeling« oder »Shuffle«. Das bedeutet im Grunde das Gleiche.

Übung 9b

Übung 9c

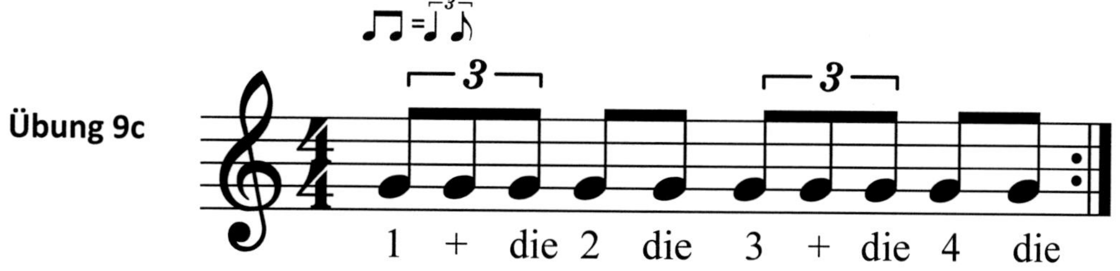

Die Vierteltriole

Eine Vierteltriole ist nicht leicht zu spielen. Sie kommen zum Glück nur selten vor, aber wenn man mal auf eine stößt, sollte man sie vorher schon mal geübt haben. Eine Vierteltriole erstreckt sich über zwei Achteltriolen – also insgesamt sechs Schläge, von denen jeder Zweite ausgeführt wird. In unserem Beispiel werden die Beats 3 und 4 zu einer Vierteltriole zusammengefasst. Wir zählen also: 3 un die 4 un die. Wenn wir nun auf die »3«, auf die »3die« und die »4un« schlagen, erhalten wir die Vierteltriole.

Im Takt zählen wir also »**Eins** un die **Zwei** un die **Drei** un **die** Vier **un** die«

Klopfen: ↑ ↑ ↑ ↑ ↑

Nehmt unbedingt euer Metronom zum Üben. Damit vermeidet ihr Ungenauigkeiten beim Zählen. Ein Tempo um 60 BpM. eignet sich gut.

Hand-Fuß-Koordination

Rhythmusübungen oder kurze Abschnitte einer Komposition, sollten unbedingt mit Metronom geübt werden. Komplette Musikstücke allerdings nicht, weil so die Agogik[1] fehlt. Der Vortrag wirkt dann mechanisch und gefühllos. Um das zu vermeiden und dennoch »in Time« zu bleiben, tappen wir mit dem Fuß die Beats mit. Im Gegensatz zum Metronom, kann der Fuß die feinen Temposchwankungen eines gefühlvollen Vortrags vollziehen. Dazu muss der Fuß lernen, sicher und unabhängig zu tappen.

Stellt euer Metronom auf Tempo 80 BpM. und tappt mit einem Fuß mit. Vorzugsweise mit dem Bein, bei dem sich die Gitarre beim Tappen am wenigsten bewegt. Macht das eine volle Minute lang. Ihr werdet vielleicht merken, wie der Fuß immer ein wenig schneller werden will und ihr ihn leicht bremsen müsst. Sobald ihr es schafft, eine Minute lang mit dem Fuß gleichmäßig die Beats zu tappen, klopft mit der Hand mit.

Klopfübung 10 Hand-Fuß-Koordination

Die Hand klopft die oberen Noten.

Der Fuß tappt die unteren Noten.

[1] Der Begriff **Agogik** bezeichnet die Gestaltung des musikalischen Ausdrucks. Dies wird erreicht durch die Nuancierung (Schwankung) des Tempos beim Vortrag einer Komposition, wobei die Tempoänderungen außerhalb der mechanischen Tempowerte des Metronoms liegen und Bestandteil der musikalischen Interpretation sind. Dies betrifft vor allem feinste Temponuancierungen innerhalb musikalischer Phrasen.

Bei den folgenden Übungen schlägt die Hand auch Achtelnoten. Achtet darauf, dass der Fuß konsequent bei den Grundschlägen bleibt. Der Fuß darf *nie* das »und« (+) treten.

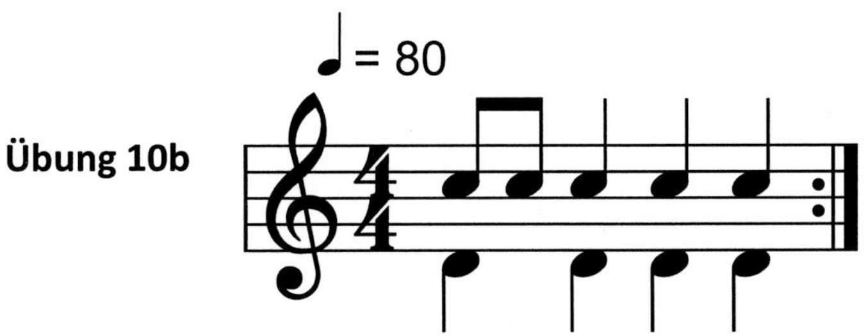

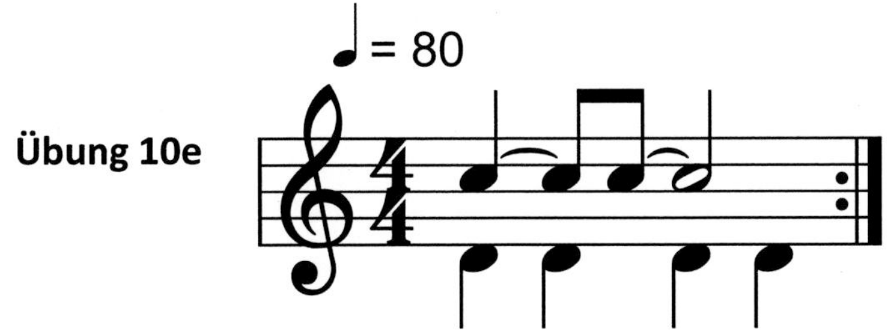

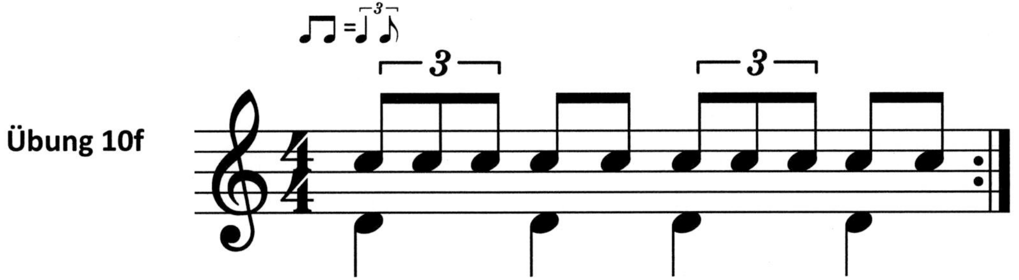

Rhythmuspyramide mit Triolen

Eine Rhythmuspyramide, bei der ein binäres System direkt in ein triolisches System übergeht, ist nicht einfach zu schlagen, aber sehr effizient für die Entwicklung eines guten Rhythmusgefühls. Bei dieser Übung setzten wir einen Fuß und beide Hände ein. Am besten setzt man sich dazu auf einen Stuhl.

1. Lasst euer Metronom mit Tempo 50 schlagen. Das sind dann die Beats eines 4/4 Takts.

2. Zählt die Beats laut mit: »Eins – zwei – drei – vier – eins – zwei – drei – vier usw.« (Lautes Zählen ist wesentlich besser als nur in Gedanken zu zählen, weil dann die Nervenimpulse auf den Zeiteinheiten 10-mal stärker sind. Ihr erreicht damit deutlich schneller Erfolge). Sprecht die Silben kurz und knackig aus, damit ihr einen scharfen Zeitpunkt bekommt.

3. Nun kommt der Fuß an die Reihe. Der Fuß tappt hörbar mit Metronom und Stimme mit. Fuß, Stimme und Metronom erklingen exakt gleichzeitig. Macht das zwei Takte lang (Takt 1 und 2).

4. Auf der nächsten Ebene (Takt 3 und 4) kommt nun die Schlaghand dazu. Das wird bei den Meisten die rechte Hand sein. Schlagt mit ihr hörbar die Viertelnoten auf dem Oberschenkel. Das Klatschen der Hand, das Tappen des Fußes, das Zählen der Stimme und die Klacks des Metronoms sollen genau gleichzeitig erklingen.

5. Auf der nächsten Ebene (Takt 5 und 6) kommt nun die andere (linke) Hand dazu und schlägt die »Unds« auf dem linken Oberschenkel. Beide Hände bewegen sich abwechselnd im Wechselschlag. Die rechte Hand schlägt die Beats und die linke Hand die dazwischen liegenden Achtel.

6. Auf der nächsten Ebene (Takt 7 und 8) erscheinen nun die Achteltriolen. Sie werden ebenfalls mit einem Wechselschlag der Hände angeschlagen. Aber weil wir hier eine Dreierstruktur haben, verlagert sich der Beat auf die jeweils andere Hand. Der Beat wird einmal von der rechten Hand, dann von der linken Hand, dann wieder von der rechten Hand usw. geschlagen. An dieser Stelle weise ich nochmal darauf hin, wie wichtig es ist, sich zu bewegen. Sitzt nicht da, als würdet ihr auf den Bus warten. Geht mit dem Oberkörper geschmeidig mit! Rechte Hand – linke Hand – Beat rechts – Beat links. Nur durch die rhythmische Bewegung des Körpers bekommen wir ein Gefühl für den Rhythmus und können ihn dann »aus dem Bauch heraus« spielen, wie man so schön sagt.

7. Auf der nächsten Ebene (Takt 9 und 10) haben wir die Sechzehntelnoten. Um in Time zu bleiben, müssen wir den Wechselschlag der Hände wieder etwas beschleunigen. Eine Hand schlägt die Beats und die »Unds« – die andere Hand jeweils dazwischen (die »e«).

Ihr solltet zunächst die einzelnen Ebenen separat trainieren. Sobald ihr euch sicher fühlt, spielt die Pyramide nahtlos rauf und wieder runter. So, dass ihr am Ende wieder bei den Beats des Fußes ankommt. Achtet besonders auf die Übergänge zwischen der binären und der ternären Ebene. Versucht sie möglichst reibungslos zu vollziehen. Wenn ihr diese Pyramide sauber rauf und wieder runter klettern könnt, habt ihr schon ein ziemlich gutes Rhythmusgefühl.

Übung Rhythmuspyramide mit Triolen

N-Tolen *(Quintolen – Sextolen – Septolen)*

Grundsätzlich kann man einen Grundschlag in beliebig viele Mikroschläge unterteilen. Das N ist also lediglich ein Platzhalter. Außer den N-Tolen, die ihr bereits kennt – zum Beispiel Duole (2) oder Triole (3) – treffen wir auch auf Quintolen (5), Sextolen (6) oder Septolen (7). Sie sind aber so selten, dass die meisten von euch wohl nie damit konfrontiert werden. Daher hier nur das Wichtigste.

Wie bei der Triole werden Quint-, Sext-, und Septolen als Gruppe zusammengefasst und mit der Kennzahl 5, 6 oder 7 versehen.

Zum Auszählen von Quint-, Sext- und Septolen kann man einfach die Mikroschläge durchzählen. Sprecht die einzelnen Silben wie immer kurz und knackig aus, um einen genau definierten Zeitpunkt zu erhalten.

Quintolen: Eins – zwei – drei – vier – fünf
Sextolen: Eins – zwei – drei – vier – fünf – sechs
Septolen: Eins – zwei – drei – vier – fünf – sechs – siem

Übung Quintole

Übung Sextole

Übung Septole

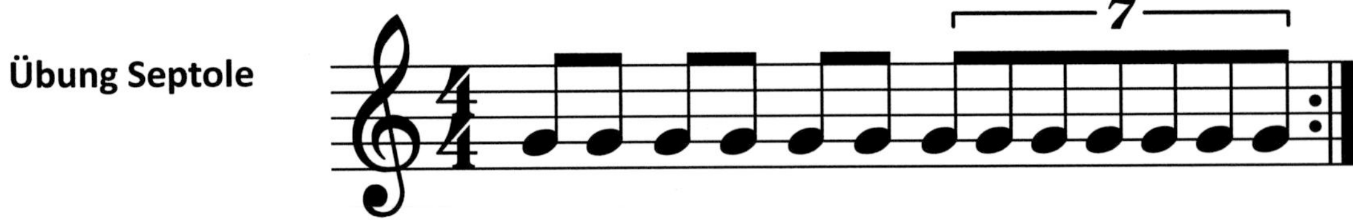

Es erfordert etwas Übung, die ungeraden Quint- und Septolen zu schlagen. Die Sextole ist relativ leicht zu schlagen, da sie gefühlt einfach zwei Triolen darstellt. Nur doppelt so schnell.

Zunächst mal: Ihr solltet die Übungen aus Teil 1 klopfen können, bevor ihr sie auf eurem Instrument[1] spielt. Wer einen Rhythmus nicht klopfen kann, kann ihn auch nicht spielen!

Abschlag/Aufschlag

Wir haben auf der Gitarre zwei Richtungen mit der wir die Saiten anschlagen können. Einmal von oben nach unten, das ist der so genannte *Abschlag* – und einmal von unten nach oben, das ist der so genannte *Aufschlag*.

⊓ dieses Zeichen über einer Note heißt: Diese Note mit einem *Abschlag* anschlagen.

V dieses Zeichen über einer Note heißt: Diese Note mit einem *Aufschlag* anschlagen.

Beide Zeichen sind international und universell. Sie gelten also auch für einen Plektrumanschlag oder beim Strumming[2]. In diesem Buch benutze ich auch Pfeile, die die Bewegungsrichtung der Schlaghand zu zeigen.

V ↑ ***Aufschlag** – Hand fährt von unten nach oben über die Saiten.*

↓ ***Abschlag** – Hand fährt von oben nach unten über die Saiten.*

Die ganzen Zählzeiten, also die Beats, werden grundsätzlich als Abschlag ausgeführt. In einer 16tel-Struktur, bei der die Hand zweimal pro Beat rauf und runter geht, zusätzlich auch die »Unds«.

Strumming Basisübung

Greift einen beliebigen Akkord. Pendelt mit der Schlaghand auf und ab und schlagt dabei *jedes* Mal die Saiten an. Konzentriert euch zunächst einfach nur darauf, *gleichmäßig* rauf und runter zu schlagen. Nehmt ein Tempo, das für euch bequem ist und schlagt mit Gefühl an.

Die Hand pendelt rauf / runter:	⊓	V	⊓	V	⊓	V	⊓	V
Die Saiten werden angeschlagen:	↓	↑	↓	↑	↓	↑	↓	↑
Zählt dabei mit:	**1**	und	**2**	und	**3**	und	**4**	und

Als nächstes kommt es darauf an, die Bewegung zu automatisieren. Erst wenn sich die Schlaghand völlig unabhängig – sozusagen im Schlaf – auf und ab bewegt, können wir in diese Bewegung einen Rhythmus einbetten. Dazu muss die Hand lernen, bei jeder einzelnen Pendelbewegung die Saiten entweder anzuschlagen oder über die Saiten hinwegzugehen. Das alles natürlich, ohne mit dem Pendeln aufzuhören. Das ist leichter gesagt als getan. Unser Nervensystem glaubt nämlich, wenn kein Schlag erklingt, muss auch die Bewegung aufhören.

[1] Das gilt nicht nur für die Gitarre!
[2] Zu Deutsch etwa: Schlaggitarre spielen. Also Akkorde greifen und dazu rhythmisch die Saiten anschlagen.

Trainiert folgendes Muster zu schlagen:

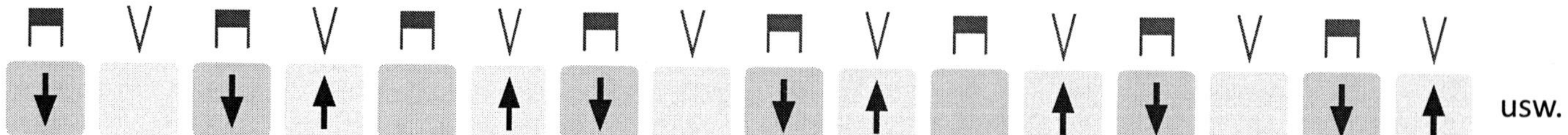

Greift einen beliebigen Akkordgriff. Schlagt einen Abschlag. Holt die Hand, ohne die Saiten anzuschlagen, wieder hoch und schlagt *ab – auf.* Lasst die Hand, ohne die Saiten anzuschlagen, wieder abwärts pendeln und schlagt dann *auf – ab*. Die Hand geht, ohne die Saiten anzuschlagen, wieder hoch, schlägt dann *ab – auf* und so weiter. Wenn es nicht klappt, versucht es langsamer. Wenn es immer noch nicht klappt, noch langsamer. Gebt eurem Nervensystem Zeit zu begreifen, was ihr wollt. Wenn ihr dieses Muster flott und flüssig schlagen könnt, könnt ihr auch unterschiedliche Rhythmen in die Pendelbewegung der Schlaghand einbetten.

Eintaktige Rhythmen 4er-Takt

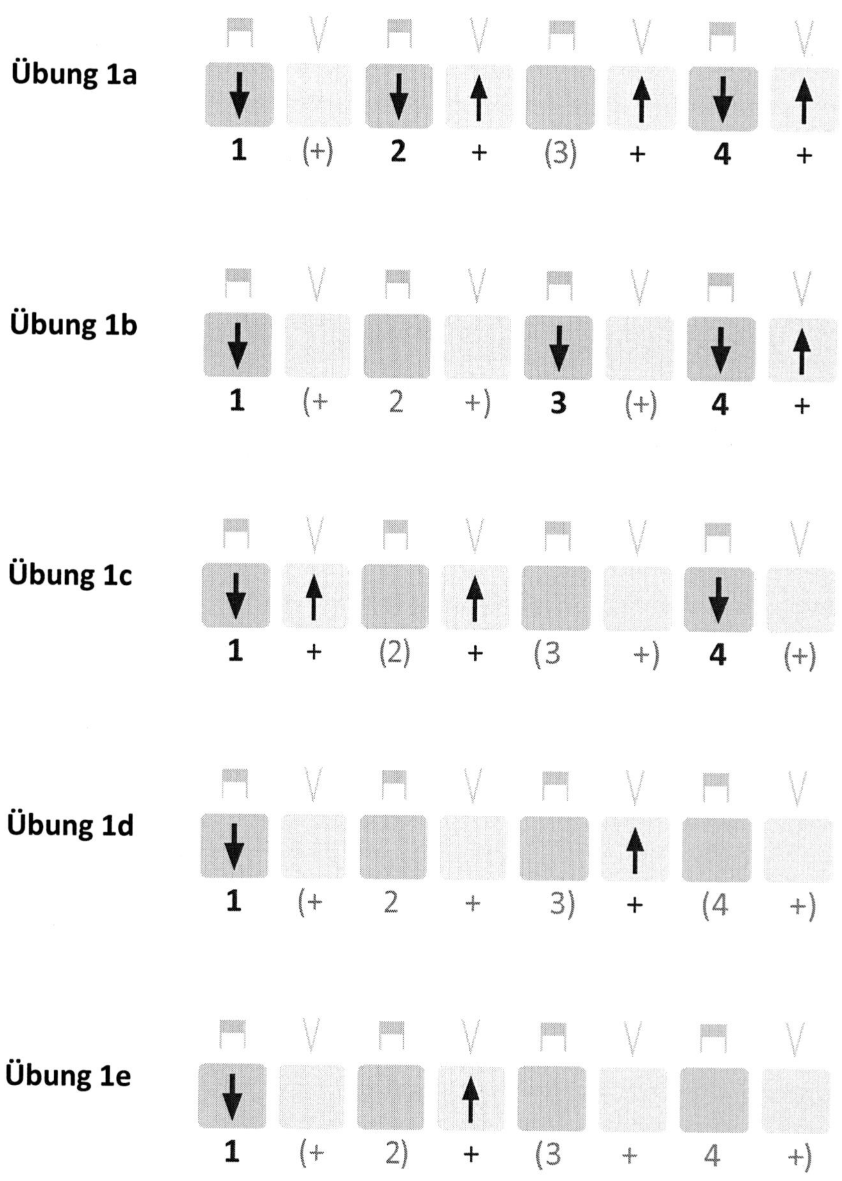

Dead Note

Im Pop und Rock wird der Rhythmus gerne mit einem »toten« Schlag gewürzt. (engl. Dead Note). Beim Strumming wird die Dead Note als Abschlag ausgeführt und gleichzeitig die Kante der Schlaghand auf die Saiten gesetzt, so, dass die Saiten nicht schwingen können. Es erklingt ein kurzes »Tschack«. Wenn man nur gegriffene Saiten anschlägt, kann man die Saiten auch dämpfen, in dem man kurz den Griff lockert, die Finger aber auf den Saiten lässt.

Das Zeichen für so einen »nicht kingenden Schlag« ist ein X. In einem Notensystem findet man dann eine Note mit einem x als Notenkopf. Das ist in jedem Fall ein perkussives Element. Je nach Kontext, kann es aber auch ein Klatschen, Stampfen oder Ähnliches sein.

Übung 1f

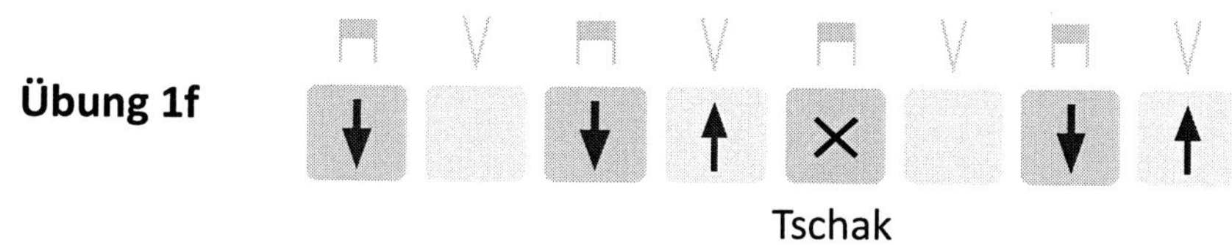

Ghost Note

Die Ghost Note gehört zwar nicht direkt zur Rhythmiklehre, aber wenn der Rhythmus einen Schlag auf der *»4+«* hat, (wie im unteren Beispiel), bekommen viele Gitarristen Probleme beim Umgreifen. Sie versuchen, zwischen der *»4+«* und der *»1«* des nächsten Taktes, die Finger blitzartig umzusetzen, was natürlich nicht funktioniert. Auch der schnellste Gitarrist kann seine Finger nicht beamen! Er braucht immer eine gewisse, wenn auch kurze, Zeit, um von einem Griff zum anderen zu kommen.

Weil die *»1«* des nächsten Takts pünktlich da sein muss, nimmt ein guter Spieler die Zeit, die er zum Umgreifen braucht, instinktiv am Ende des vorigen Taktes weg. Das bedeutet, dass er bei der *»4+«* den Griff bereits gelöst hat und die Finger unterwegs zum nächsten Griff sind. Die *»4+«* wird als Rhythmusschlag über *Leersaiten* geführt. Dass dabei der Akkord nicht mehr stimmt, wird von unserem Ohr toleriert, weil die Zeit viel zu kurz ist, um die falsche Harmonie als störend wahrzunehmen. Außerdem zieht man beim Aufschlag auf der *»4+«* in der Praxis sowieso nicht voll durch, sondern fährt nur leicht über die Saiten. Die Ghost Note kann auch eine *einzelne Leersaite* sein, die zum Beispiel in einem Solo bei einem schnellen Lagenwechsel eingesetzt wird. Manche nennen das auch den *»leere Saiten-Trick«*.

Beispiel: Ghost Note beim Strumming

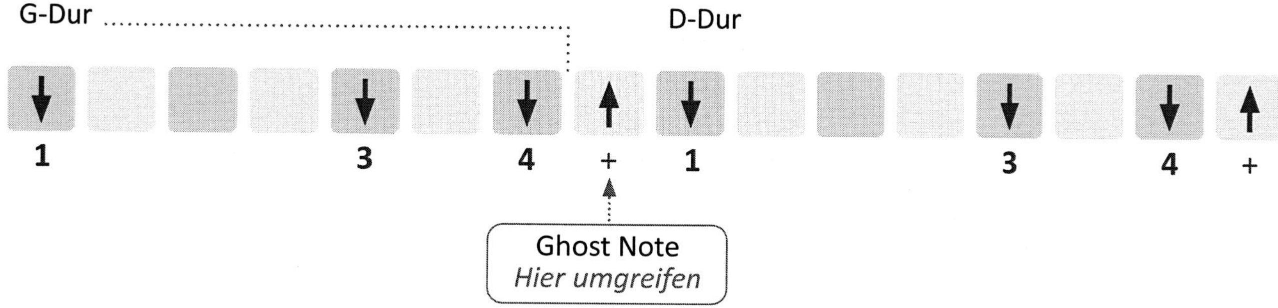

Der »Doppeltes Tempo-Trick« oder: aus 16tel mach 8tel

Im Rock haben wir häufig ein 16-tel Microtime. Einen Rhythmus mit 16-teln auszuzählen ist aber komplizierter als mit Achteln. Man kann das vereinfachen, in dem man alle Notenwerte verdoppelt. Aus einem Takt werden dann 2 Takte, aber der Rhythmus bleibt gefühlt erhalten.

Beispiel: Der erste Takt von *Wonderwall (Oasis)* – (Nur Rhythmus)

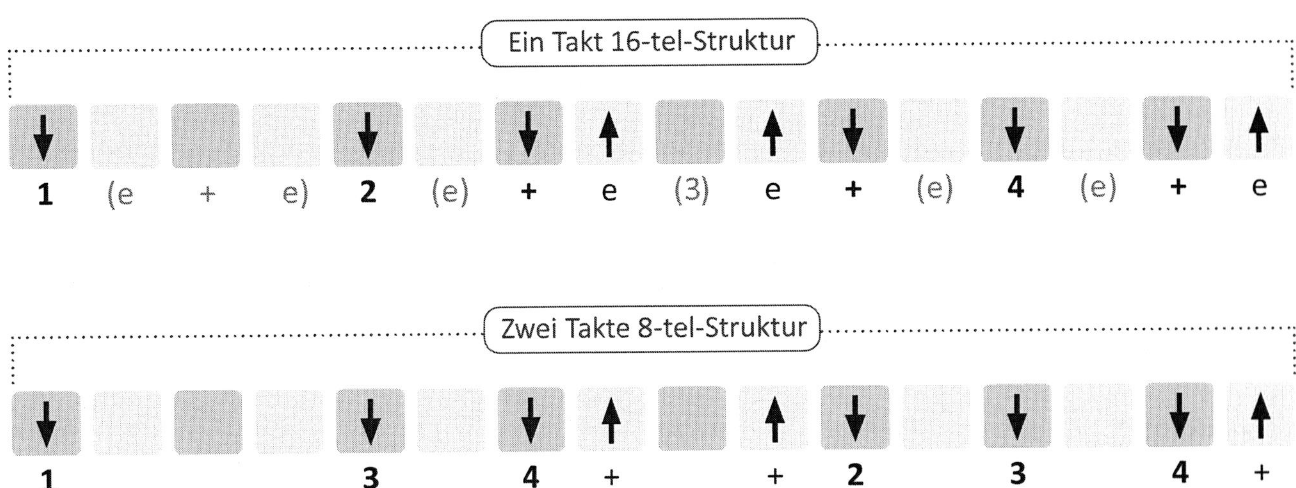

Der charakteristische Rhythmus eines Songs erstreckt sich häufig über zwei oder mehr Takte.

Beispiel: Strophe von *Nothing Else Matters (Metallica)*

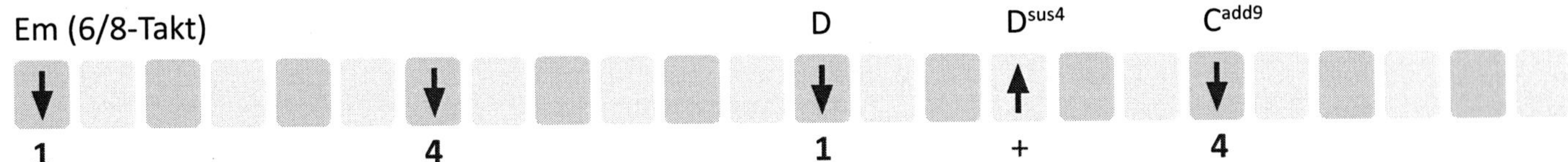

Strumming im 3er-Takt

Im 3er-Takt kommt es vor allen Dingen darauf an, die schwere ***1*** wirklich zu betonen.
Schlagt dazu die leichten Zählzeiten *Zwei und Drei* und deutlich schwächer an als die ***Eins***.

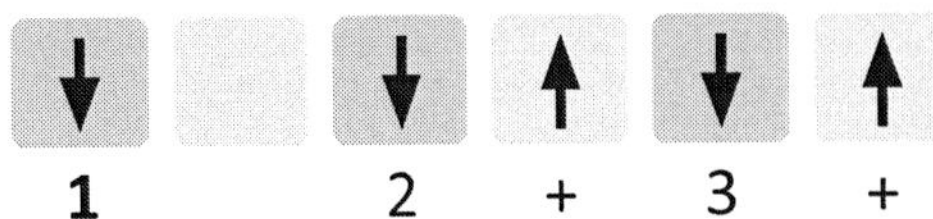

Praxistip:
Wenn im nächsten Takt ein anderer Griff kommt, schlagt beim Umgreifen die *Dreiund* als Ghost Note.

Teil 3 Klassische Gitarre und Fingerstyle

Klassische Gitarre

»Klassische« Gitarrenmusik ist meist mehrstimmig notiert. Das bedeutet, dass hier eine Melodiestimme, eine Bassstimme und manchmal auch eine dritte Stimme mit Füll- und Harmonietönen im *selben* Notensystem notiert sind. Da die Notenwerte (inkl. Pausen) einer einzelnen Stimme, einen Takt voll machen müssen, kann das Notenbild schnell unübersichtlich werden. Um hier festzustellen, wann welche Note angeschlagen wird, ist es am Einfachsten, das Ganze wie *eine* Stimme auszuzählen. Das bedeutet, wir orientieren uns beim Zählen an den jeweils kleinsten Notenwerten. Noten, die übereinander liegen haben die gleiche Zählzeit, sind also rhythmisch gesehen ein einzelner Schlag.

Beispiel: (Ludwig van Beethoven – Mondscheinsonate Opus 27, Nr. 2, 1. Satz: Adagio sostenuto Takt 7, Bearb.: Volker Luft)

- Die Melodiestimme besteht aus zwei halben Noten auf der *»1«* und der *»3«*.
- Die Bassstimme besteht aus 4 Viertelnoten auf den Grundschlägen.
- Die Harmonietöne bestehen aus Triolen mit einer Pause auf den Grundschlägen. (Musikalisch gesehen, übernehmen die Bässe die Rolle der jeweils ersten Triolenachtel.)
- Der Reihe nach ausgezählt erhält man eine einfache triolische Struktur.

Im unten stehenden Notenbeispiel haben wir eine kompliziert wirkende, dreistimmige Rhythmik. Zusammengefasst sind das aber lediglich durchgehende Achtel. Hilfreich beim Auszählen ist es, auf die Halsrichtung der Noten zu achten. In einer guten klassischen Notation sind die Bassnoten nach unten gehalst. Die Melodienoten sind nach oben gehalst und die Fülltöne entweder nach oben *oder* nach unten gehalst. (Nicht mal so, mal so!) Die Viertelnote auf der *»4«* gehört zu Füllstimme, die Achtelnote auf der *»4und«*, zur Melodiestimme.

Also keine Angst! Scheinbar komplizierte Notationen sind rhythmisch gesehen oft ganz einfach.

Fingerstyle

Im modernen Fingerstyle, nimmt man es mit der strengen Stimmentrennung nicht so genau. Da gilt als Daumenregel: Alles, was nach unten gehalst ist, wird mit dem Daumen angeschlagen. Alles, was nach oben gehalst ist, wird mit den Fingern angeschlagen. Häufig sind auch Noten aus verschiedenen Stimmen miteinander verschmolzen. Hier gilt die Halbe Note auf der *»1«* als Bassstimme, gleichzeitig aber auch als Achtelnote in der Melodiestimme. Die Halbe Note auf der *»3«* gilt ebenfalls für beide Simmen.

D = Daumen • Z = Zeigefinger • M = Mittelfinger • R = Ringfinger

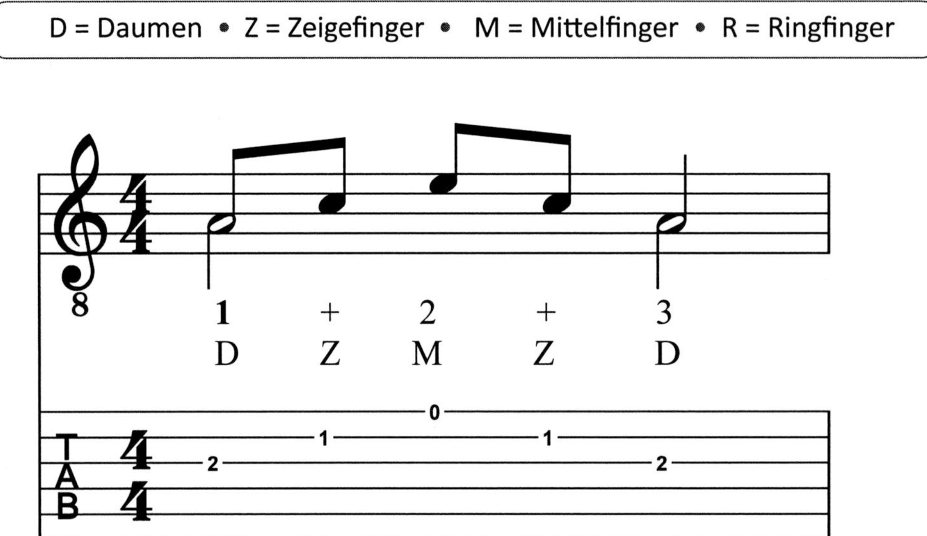

Im Fingerstyle ist häufig nicht der Rhythmus selbst das Problem, sondern das Übertragen auf das Instrument. Dazu müssen Daumen und Finger lernen unabhängig voneinander anzuschlagen. Diese unabhängige Daumen-Finger-Koordination will trainiert werden.

Diese bluesige Melodie im Triolenfeeling mit den Fingern zu spielen, ist zum Beispiel relativ leicht.

Kommt dann aber der Daumen mit einem Bass im Triolenswing dazu, wird es deutlich schwerer.

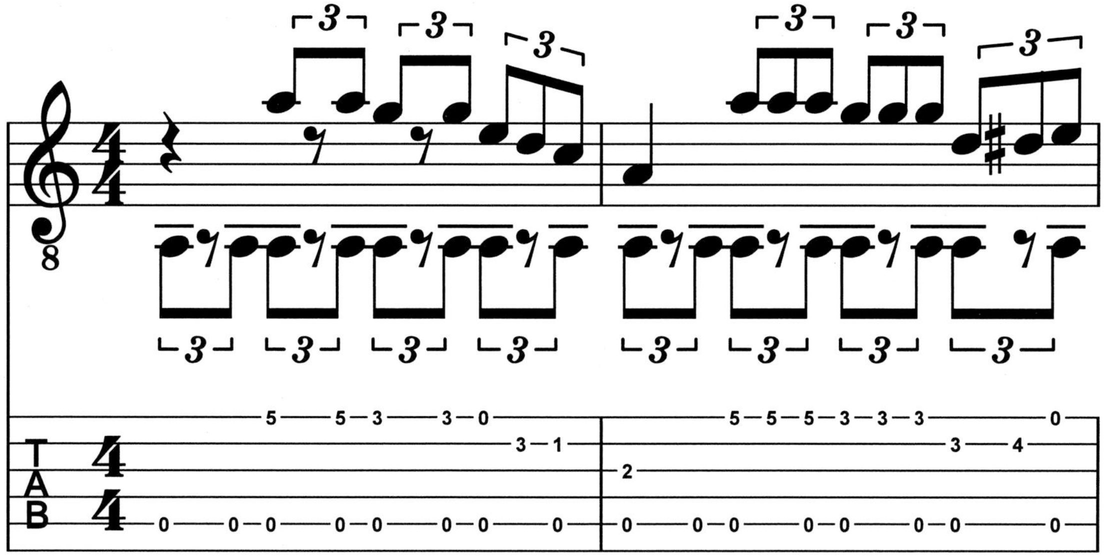

Hier ein Beispiel aus einem melodischen Fingerstyle Stück.

Bettinas Song Komposition Wolfgang Meffert (Auszug)

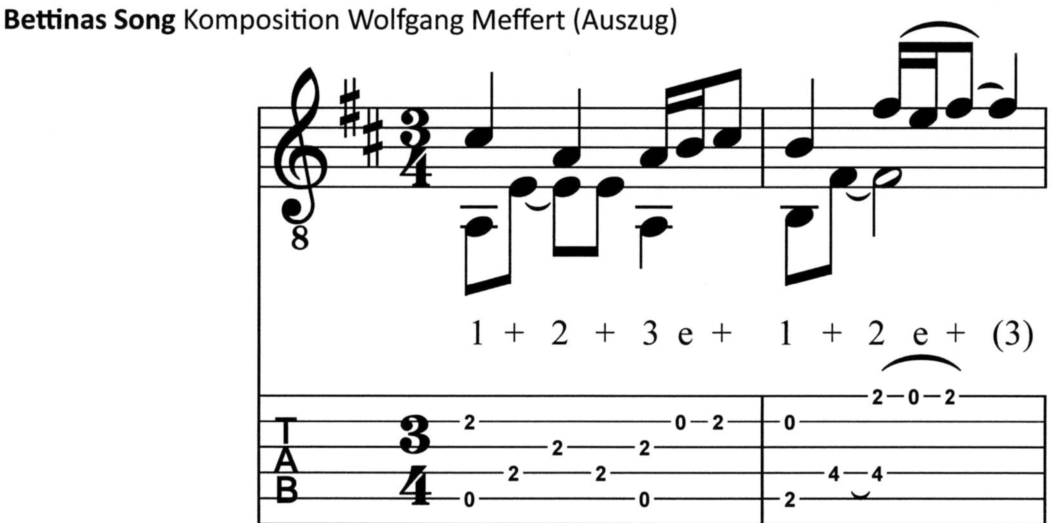

Polyrhythmik[1] im Fingerstyle

Sehr gut geeignet, um die rhythmische Daumen-Finger-Koordination zu trainieren, sind zweistimmige polyrhythmische Patterns[2]. In folgendem Beispiel erklingen drei gleichmäßige Fingeranschläge (welchen Finger ihr nehmt, könnt ihr euch aussuchen) im gleichen Zeitraum wie zwei gleichmäßige Daumenanschläge. Um eine Polyrhythmik aufschreiben zu können, braucht man das kleinste gemeinsame Vielfache. Das sind in diesem Fall sechs (2 x 3). Der Daumen schlägt die Grundschläge und der Finger jedes zweite Triolenachtel. (Die Pausenzeichen dienen nur zur besseren Übersicht).

Beginnt sehr langsam die Triolen auszuzählen. Schlagt mit dem Finger auf *»1« »die« »un« »3« »die« »un«*. Sobald das läuft, schlagt dazu mit dem Daumen auf die Beats. Wenn beides gut zusammen geht, werdet langsam schneller, damit sich das Pattern automatisiert. Konzentriert euch beim Hören abwechselnd auf den Finger- und den Daumenanschlag.

---

[1] **Polyrhythmik** bezeichnet die Überlagerung mehrerer Rhythmen in einem mehrstimmigen Stück.
[2] Das **Pattern** *(englisch: Muster)* bezeichnet eine harmonisch oder rhythmisch wiederkehrende Struktur.

3 über 2

Noch etwas anspruchsvoller wird es, wenn der Daumen einen Wechselbass schlägt:

3 über 2 mit Wechselbass

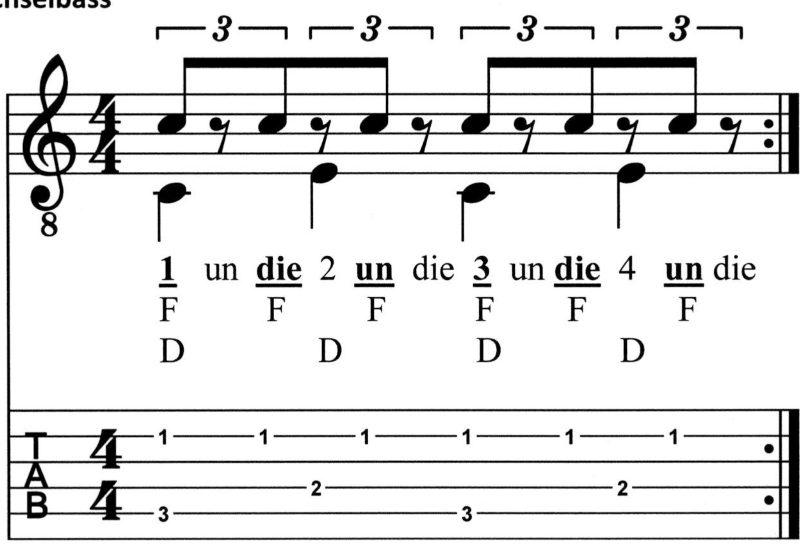

Wenn ihr mit den Fingern auch noch unterschiedliche Saiten anschlagen könnt, ist eure rhythmische Daumen-Finger-Unabhängigkeit auf einem sehr hohen Niveau.

3 über 2 mit Wechselbass und Zwei-Finger-Picking

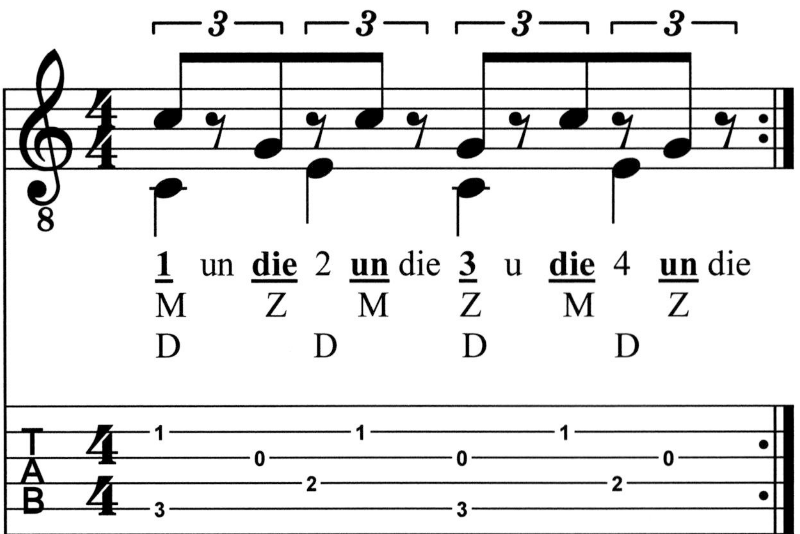

3 über 2 mit Wechselbass und Drei-Finger-Picking

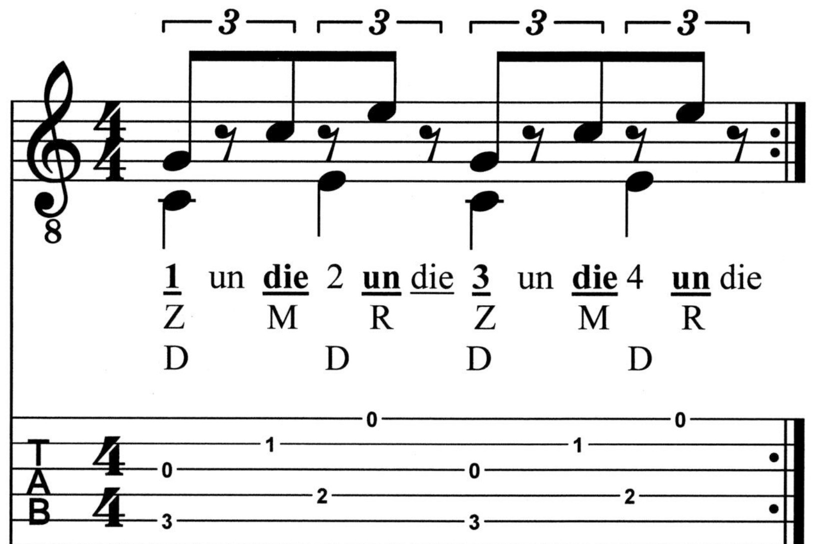

Das Ganze geht natürlich auch umgekehrt:

2 über 3

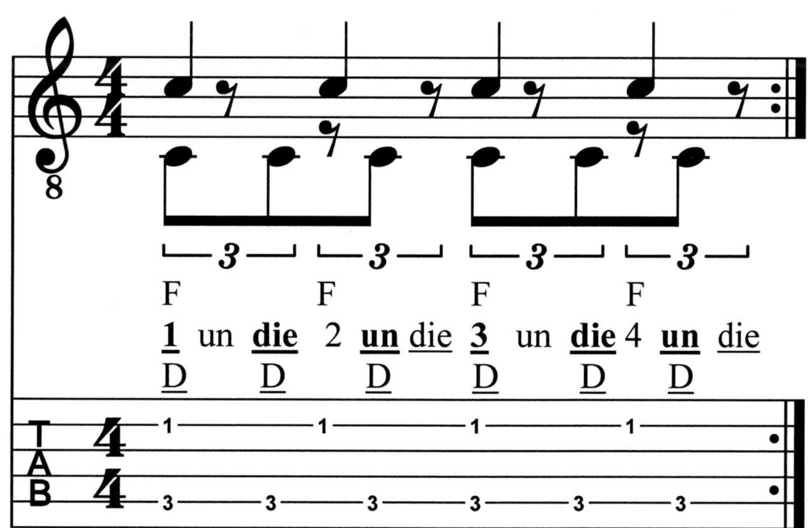

2 über 3 mit Wechselbass

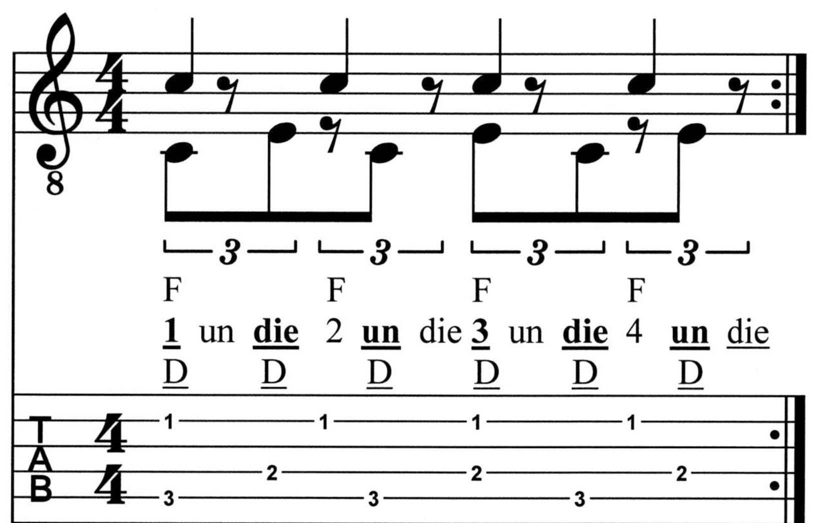

2 über 3 mit Wechselbass und Zwei-Finger-Anschlag

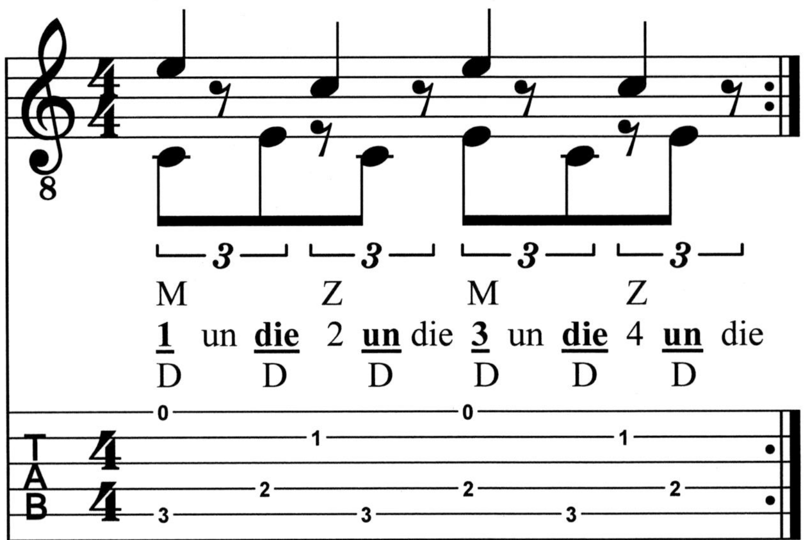

2 über 3 mit Wechselbass und Drei-Finger-Anschlag

Wenn ihr solche Polyrhythmen meistern könnt, braucht ihr vor keiner rhythmischen Schweinerei mehr Angst zu haben.

Nachwort:
Viele von euch werden nie mit solch komplizierten Rhythmen, wie sie am Ende dieses Buches vorkommen, konfrontiert sein. Es rentiert sich aber dennoch, sie zu üben. Man trainiert damit ja auch seine allgemeinen motorischen Fertigkeiten und viele schwere Stellen eines Stücks werden plötzlich viel leichter. Außerdem ist es eine sportliche Herausforderung.

Get the Groove! – Acoustic Music Books

Gerhard Koch-Darkow
Moro und Lilli, Band 1
Die Gitarrenschule für Kinder
136 Seiten, mit Notenlegespiel zum Ausschneiden
ohne Begleit-CD:
AMB 3034 - 18,90 €
mit Begleit-CD:
AMB 3035 - 23,90 €

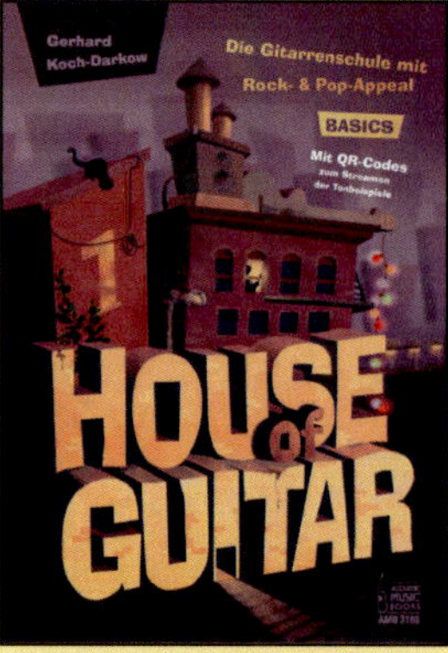

Gerhard Koch-Darkow
House of Guitar. Basics
Die Gitarrenschule mit Rock- & Pop-Appeal. Für Konzert-, Steelstring- und E-Gitarre. Zeitgemäße Methode mit Kreativecken (Beatbox, Riffschmiede etc.) - 136 S. mit QR-Codes, AMB 3180 - 22,90 €

Ulli Bögershausen
Fingerstyle Guitar von Anfang an
Die Gitarrenschule für Unterricht und Selbststudium
Das Standardwerk "Von Anfang an" überarbeitet und erweitert. Noten u. TABs, 112 S. mit DVD-ROM. AMB 3150 - 26,90 €

Wolfgang Meffert
Jetzt Gitarre lernen!
Der schnelle Weg zur Liedbegleitung. Von Anfang an. In kleinen Schritten. Mit vielen Liedern. Bestens für das Selbststudium geeignet.
Noten, 116 Seiten
AMB 3210 - 22,90 €

Wolfgang Meffert
Harmonielehre endlich verstehen!
Einstieg in die Musiktheorie (nicht nur) für Gitarristen.
Bestseller. Einfacher und verständlicher geht es nicht!
Sachbuch 168 Seiten
AMB 3096 - 25,90 €

Wolfgang Meffert
Harmonielehre endlich verstehen! Band 2
Jenseits von Dur und Moll. Pentatonik, Dominantketten, Kirchentonarten in Blues, Rock und Jazz u.v.m. - Leicht verständlich! - Sachbuch , 216 S.
AMB 3121 - 25,90 €

Wolfgang Meffert
Effizient üben. Wertvolle Übezeit optimal nutzen. Nicht nur für Gitarristen. - Richtiges Üben, Aufbau von Übestunden, Motivation, Technik, Tempo, systematische Übungen. Ein praxisorientiertes Buch, 72 Seiten
AMB 3165 -16,90 €

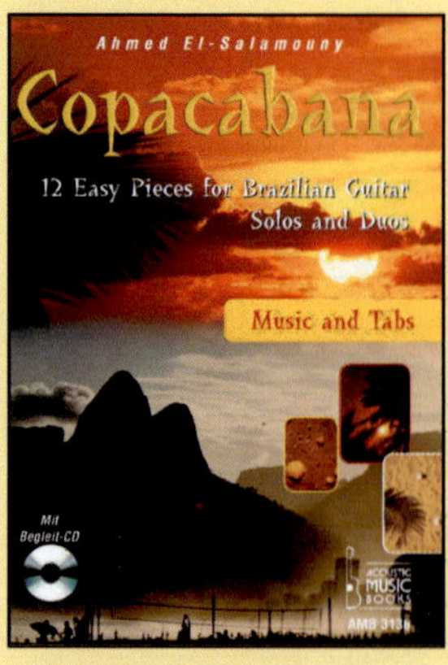

Ahmed El-Salamouny
Copacabana
12 Easy Pieces for Brazilian Guitar. Solos & Duos. Leichter Einstieg in die brasilianische Musik.
Noten u. TABs, 60 S. mit CD
AMB 3136 - 21,90 €
Nur Noten, 48 S. mit CD
AMB 3036 - 21,90 €

Patrick Steinbach
Irish Guitar Tunes. Songs, Jigs, Reels, Polkas und Horpipes für Gitarre. Leicht bis mittelschwer. Mit Leadsheet für Melodieinstrument in C (Flöte/Violine/Mandoline). Noten u. TABs, 72 S. (Part.) + 24 S. (Stimme), mit CD
AMB 3138 - 24,90 €

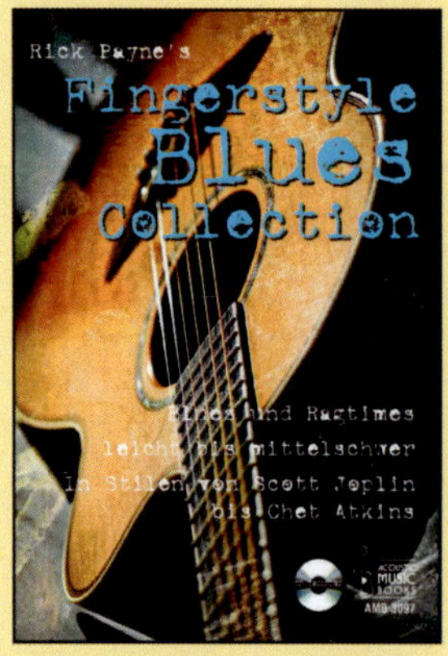

Rick Payne's
Fingerstyle Blues Collection.
Blues and Ragtimes leicht bis mittelschwer. In Stilen von Scott Joplin bis Chet Atkins.
Noten u. TABs, 44 S.
AMB 3097 - 21,90 €

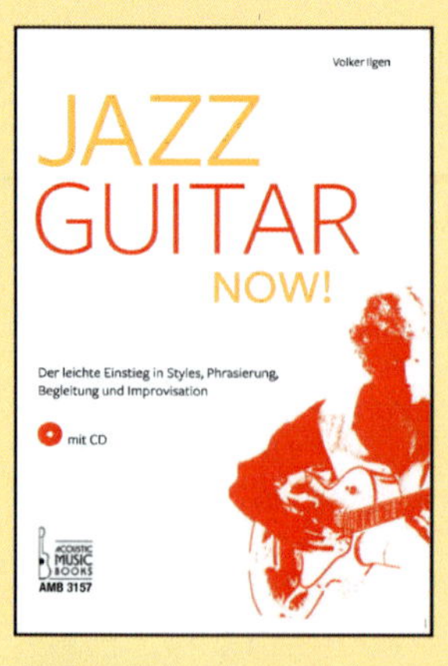

Volker Ilgen
Jazz Guitar Now!
Jazzgitarrenschule
Der leichte Einstieg in Styles, Phrasierung, Begleitung und Improvisation.
Noten u. TABs., 104 S., mit CD,
AMB 3157 - 24,90 €

Acoustic Music Books
Brommystr. 64
26384 Wilhelmshaven
Tel. 04421-9 83 93 70
Fax 04421-9 83 93 01
info@acoustic-music-books.de
www.acoustic-music-books.de

Bitte fordern Sie unseren kostenlosen Notenkatalog an!

Lieferbarkeit, Irrtum und Preisänderung jederzeit vorbehalten!
Stand: 31.08.2022

www.acoustic-music-books.de